新装版

宇宙にたった1つの神様の仕組み

飯島秀行
テネモス国際環境研究会

ヒカルランド

電気消耗が極めて低いモーター発電機。

発電した電気をバッテリーに貯め、バッテリーの電気をインバータで変換している。

スローフライトの実験機群とその構造。

水圧における水質安定。

（上左）築150年の実家、（上右）風力発電機、（下）５年間水は交換していない。

5 世帯の社員寮の浄化槽。

塩を使った塩庭。癒しの空間。

（上）実証例を並べた部屋での著者、（下）鳥のように飛ぶ飛行機の説明をする著者。

【新装版】宇宙にたった1つの神様の仕組み　目次

第1部　たった一つの宇宙法則

第1章　原理一元の世界――すべては「空」の作用である

第2部 全部実験で確かめた

カバーデザイン　櫻井浩（⑥Design）
本文写真　石本馨
本文仮名書体　文麗仮名（キャップス）

第1部

たった一つの宇宙法則

第１章

原理一元の世界
――すべては「空」の作用である

発酵とは

この宇宙すべての営みは「発酵」である

発酵とは宇宙の物質すべてのことを示します。発酵なくして物質界は存在いたしません。

なぜなら、発酵とは生命である空《くう》を呼び込んで物質を作り出す仕組みだからです。

発酵という言葉を聞くと、農業の堆肥《たいひ》のイメージが強いと思いますが、堆肥作りだけが発酵ではないのです。物質を変化させたり、維持したりするのもすべて発酵した結果なのです。

今、世間を騒がせている、放射性セシウムも発酵させると簡単に変化します。

放射性物質だけではなく重金属、ダイオキシンなども発酵させることで大きな変化が得られます。

発酵にもいろいろな仕組みがありますが、発酵以外に大きな変化を得ることはないと思います。

発酵させるには条件があります。

物質単品では、発酵が起こしにくいのです。

発酵の条件としては、有機物と無機物が必要です。つまりプラス系とマイナス系が条件になります。もともとプラスとマイナスの間にはギャップが存在しています。

宇宙力とは、常に中性（ニュートラル）に戻そうとして働いている力です。逆に言えば宇宙は中性を維持しているわけです。

プラス系とマイナス系の物質を混ぜ、その場に圧をかけると、宇宙力はそのギャップを中性に戻すために、空気をそのギャップを持っている物質に送り込みます。物質から見れば空気を吸っているわけです。このように結果である物質どうしが混ざっただけでは、何の変化も起こしません。

生きている空《くう》が物質に融合しない限り、その物質は変化しないということです。前にも述べたようにダイオキシン、重金属などの汚染物質も発酵させれば、多かれ少なかれ、変化が得られます。一度の発酵で満足のいく結果が得られなければ、何度か発酵を繰り返しているうちに満足する結果が得られると思います。

洗濯においても同じことが言えます。

水発酵です。

洗濯機の中に、無機物である水、あるいはお湯を入れ、有機物である洗濯物（汚れたシャツなど）を入れて回転圧をかけると、その条件ギャップの分だけ、洗濯機に本源である空気が注がれる、発酵です。

このように食事の後の食器洗い、掃除、鉛筆で紙に字を書く、絵を描くといったようなことも、異物どうしに圧をかけて空気を引き込んで、変化させているのです。日常生活そのものが発酵ではありませんか。

人間の行動そのものも「発酵」である

人間もものを食べれば体内で発酵して、それが血や肉に変化して成長促進、現状維持に繋《つな》がっていることは想像がつくと思いますが、人間の行動そのものも一種の発酵なのです。

「このものを使ってこうしてみよう」と思うとします。このものとは物質にあたります。その物質にこうしてみようという圧がかかると人は動く者へと変化します。

「こうしてみよう」という圧がかからなければ空《くう》を呼び込むことができず動く者にはなりません。自身の意識した圧の分だけ空《くう》を呼び込み、意識した通り動いているのに過ぎないのです。

「これをやっとけ」と言われても気が入らなければ「やらない」「動かない」のと同じことです。

人間は自分自身で動いているのではなく、自分自身がかけたギャップという意識圧の分だけ生命である空《くう》を取り入れて動いているに過ぎないのです。

逆に言うなら肉体は空《くう》に動かされている状態なのです。

肉体自らは「無」であって、生命である空《くう》が肉体を通して動いているに過ぎないのです。

このように土壌も海の水もすべてが発酵という、自然の中で空《くう》を取り入れ維持、管理をしているわけです。

全我の意識圧で動けば「すべてが成功」、フリーエネルギーも可能となる

ここで大きな問題点があります。

どの位置で意識しているかで、具現力が大きく変わるということです。例えば「あなたと私は違うのよ」というような個人的な意識圧では、小さな個人的な結果しか現れません。

私の本質は私自身の肉体ではなく、この肉体を動かしている生命そのものが真の私なのだという、全我の自覚精神での意識圧をかければ、具現力、結果は大幅に変化します。

個人的意識圧には、成功と失敗がついてきますが、全我の意識圧では絶対なる善しか現れてきません。意識の持ち方で、大きく変化するということです。

フリーエネルギーという永続的発想は、有限的な個人圧では、絶対に生まれることはないのです。フリーエネルギーの研究とは有限性の自分から、全我である無限の我に、意識の状態を変換することなのです。有限性の意識の状態で、無限性の物質を作ることは、想像ができませんから、不可能なことなのです。

無限の表現は、無限の意識の状態にならない限り、発想が生まれてくるはずがないのです。

よく、「出したものが帰る」と表現しますが、有限は有限を表し、無限は無限を表す、この一言に尽きます。

それは土の中の微生物が「発酵」していること

肥料とは

畑に植えてある野菜などの農作物に肥料を与えないと、生長しないと耳にします。本当に肥料は、直接農作物に、影響しているのでしょうか。

実際に農作物に肥料を与えると、葉の色がよくなり、生長していきますから、誤解しても仕方がないと思います。

肥料が農作物に、直接影響しているわけではないのです。

畑の土壌菌に、肥料という条件を与えますと、土の中の微生物は、肥料という名の餌を食べて、どんどん増えていきます。一種の発酵です。

常温発酵している土壌は、その発酵圧の分だけ、自然の中性力に従い、空《くう》が注がれます。その注いだ空《くう》が、葉の色をよくし、生長させているのです。

どのポジションに存在しているか、その働く場が鍵となる

微生物の位置づけ

自然界では、役目を持った微生物が、どのポジションに存在しているかは、初めから決定されています。

微生物は大きく分けると、プラス系とマイナス系に分けられます。プラス系は酸性のポジション、マイナス系はアルカリ性のポジション、というように微生物は、各々の役目以外の場には存在いたしません。

なぜなら、役目以外の場だと仕事ができないからです。

例えば、土壌でも上のほうのポジションはプラス系、下のほうのポジションはマイナス系、と自然界では、絶対なる位置づけは決まっています。

もし自分の役目以外のポジションに存在するなら、その土壌は病気をもたらします。その土壌が病気なら、そこに植わっている農作物も病気になります。微生物が、自分の役目以外の位置にいると、うまく作業できないからです。

農作物が病気にかかったと言うより、土壌が病気になったと表現したほうが、正しい見方だと思います。

病気はなるものではなく、作るもの

人間にも同じことが言えます。

胃という酸性のポジションに、アルカリ系である大腸菌が入ったら病気です。最悪の場合、死に至ります。

「病気になった」と表現しますが、病気とはなるものではなく作るものなのです。正常な考え方、正常な行動をしているものは、病気にかかることはないのです。

もし、病気になったら正しい考え方、正しい行動に改めれば、病気は治ってきます。

害虫にしても同じことが言えると思います。

自然界に病気がないのは、すべてが正常に働いているからです。野生の動物たちもすべて同じです。野生のシマウマが病気で何万頭も死んだ、という話は聞いたことがありません。

しかし、人間が飼っている牛や豚には病気が存在します。なぜでしょう。

家畜に問題があるのでしょうか、それとも家畜を飼育している人間の考え方に問題があるのでしょうか。

水
物質そのものが水である

水というと液状の状態のものを思い浮かべる人が多いと思います。

宇宙は無限の水質量とエネルギーで構成されています。すべて無限です。

この無限の水質量が宇宙のすべての物質を作り上げていく要素なのです。従ってこの地上界にも、たくさんの物質が存在していますが、物質そのものが水なのです。

空気ですら、湿度という水がなければ、存在できません。

人間も羊水《ようすい》という水からできています。

よく人間は60%が水でできている、とか言いますが、本来100%水なのです。

だから生まれたばかりの人間のことを水子と言います。水の子供です。

フライパンを火にかけ、そのフライパンの上に氷を置きます。氷は溶けて水になり、さらに水は熱によって空気に転換します。結果である氷は、原因である空《くう》に戻ったということになります。

では鉄や鋳物《いもの》はどうでしょう。フライパンの上に置いて、火をかけると空気になるでしょうか。なります。ただ火力が弱いとなりません。

火力、つまりバイブレーションを上げれば、どんな物質も空気に転換してしまいます。物質はすべて空《くう》からできている、ということです。

氷は放っておいても空気に転換します。鉄や鋳物もいつかは錆《さ》びて空気に戻ります。放出サイクルになったときです。

物質は質量である空気を吸っているときは、物質を維持しています、吸引サイクルです。

物質から酸素（空気）が抜けると、物質の形態が維持できず、物質は空《くう》に転換します。放出サイクルです。

海水が腐らない理由

海水はなぜ腐らないか、考えてみたいと思います。

海水は海にあるときは腐りません。しかし、海水をバケツに取っておくと、その海水は腐敗してしまいます。なぜでしょう。

それはサイクルにあります。海の海水圧と、海を取り囲む大気圧との関係です。気というのは、低いほうから高いほうに流れます。法則です。海水を取り囲む大気圧より、海全体の海水圧のほうが、圧が高いからです。吸引力です。吸引サイクルとも言います。常に海水に空気を引き込んでいるから、海の水は腐敗しないのです。

海水をバケツに取っておくと腐敗するのは、バケツの中の海水圧より、バケツを取り囲む大気圧のほうが高からです。サイクルの違いです。

しかし、バケツの海水に、何らかの装置をつけて、その大気圧より高い状態にすると、バケツの中の海水も、腐敗いたしません。

夏場、太陽に暖められた海水は、蒸発して腐敗に向かいます。すると、いつの間にか台風が発生して、海の中を大きな渦《うず》でかき混ぜます。自然界の酸素補給です。自然というのは本当によくできています。

汚れた水や汚染物質が混入している水でも、その場を取り巻く大気圧より、高い状態で処理をすると、汚染物質は消滅してしまいます。

なぜかというと、汚染物質とは生きている状態ですか、死んでいる状態ですか。腐敗している汚染水に、生命を吹き込むわけです。すべて再生されます。

水道管に圧がかかるような装置を設けて、水道水をその装置に通すことで、食事後の汚れくらいは水道水だけで、洗剤を使わなくとも、簡単に洗い流せます。洗剤を使うと二次公害が大きいのです。家庭から出た洗剤は、汚染物質として、川や海を汚します。

天災は食い（悔い）止められる

汚染とは、バランスが崩れた状態を指します。汚染された川や海は、自然の中性力によって再生されます。

自然の再生力のことを、我々は天災と言っています。天災でしょうか、人災でしょうか。誰が川や海を汚したのでしょうか。

汚せば汚すほど、再生力は大きな力となってやってきます。これは川や海だけではなく、土壌汚染、大気汚染、すべてに言えることなのです。

今生《こんじょう》最大の天災が来ると言われています。

天が災害を作るのでしょうか、人間が災害を作るのでしょうか。天災を食い(悔い)止めるには、まず我々人間が、地球を汚さないことなのです。

汚染が少なければ、再生力も小さくて済みます。地球を汚せば汚すだけ、地球破壊に繋がります。

「私一人で地球に何ができるのよ」という声を耳にします。一人一人が大事なのです。

炊事、洗濯から洗剤を減らすだけで、大きな結果が得られます。節電、節水、周りを見ればたくさんあるものなのです。

人間一人一人の意識が地球の浄化なのです。地球の浄化は即家庭の幸せに繋がります。なぜなら、天と地は表裏一体だからです。

地球の存続なくして、一家庭の存続はあり得ません。汚れたものを、きれいにするのは、大事なことですが、汚さないように努めることは、もっと大事なのではないでしょうか。

汗とは肉体から「水滴」でなく「気」が出ていくこと

暑いと体から汗が出る。本当に肉体から液体が出ているのでしょうか。

誰もが暑いと汗をぽたぽた流しながら動いています。否定できない現実です。しかし真実ではないと思います。

汗は除湿するとなぜ止まってしまうのでしょうか。汗は周りの温度と湿度に関係してきます。

暑いと肉体から気が抜けていきます。肉体の周辺の湿度が高いと、抜けた気は、即水滴となります。あたかも肉体から水滴が出ていると、錯覚《さっかく》するわけです。

除湿すると、肉体から出ている気とくっつかないから、水滴として変化しないのです。コップに氷を入れて、暖かいところに置いておくと、コップの周りに水滴がつきます。汗と同じ原理が働くだけです。

このように、身の回りには誤解や錯覚が存在しています。正しく見るというのは難しいことです。

エンジンは生命である「気」が動かしている

誤解と言えば、エンジンは、誰もがガソリンや軽油で回っていると思っています。シリンダーの内部で、噴射されたガソリンが爆発を起こします。爆発を起こしますと、シリンダーの内部圧が上がります。外部圧より内部圧が高くなると、空気は高いほうに変化します。

ガソリンは、気圧を上げる役目であって、ピストンを動かしているのではないのです。ピストンを動かし、エンジンを回しているのは、生命である空気が動かしているのです。

ライフル、ピストルもすべて同じことです。弾丸が爆発すると、その上がった圧の分だけ空気を取り入れ、弾が飛んでいくだけです。

弓矢においても同じことで、弓を引いた圧の分だけ、空気を取り入れ、矢が飛んでいくのです。どれをとっても宇宙の原理、法則は一つなのです。

「あれはこうで、これはこうなのだ」という多次元の世界に、今の経済が存在し、迷走していると思います。原理一元の世界に矛盾は存在しません。

病気

癌とは酸欠の状態のことを言う

癌という病気が増えています。癌は放っておくと死に至ります。

宇宙原理は、絶対なる善しか存在しないと申し上げました。死に至る癌のどこが善なのでしょうか。

実は癌という病気がなかったら即死です。余命1か月とか半年とか、治す時間がないのです。

そもそも、癌というのはどのようなものなのでしょうか。癌は早期発見なら手術で治る、と言います。それはあくまでも、結果に過ぎません。なぜ癌になったか、という原因があります。原因なくして結果は現れません。

ではどこに原因があるのでしょうか。例をあげてみたいと思います。

例えば胃癌とします。３か月で肉体の細胞が入れ替わると言われています。胃も新しい細胞を生み、古い細胞は老化していきます。

そのとき胃に新しい細胞が生まれないとすると、胃に空間ができます。内部に穴が開いたら即死です。即死を避けるため、周りの細胞が協力して、その穴を塞ぎます。異常細胞です。

この異常細胞のことを癌と言っています。このように癌も、最後の延命治癒力が働くのです。

癌を治す原理

では癌を治すのにはどうしたらいいのでしょう。

新しい細胞を生まないのが癌なら、新しい細胞を生めばいいのです。普通、人の体はそんなことは考えずに、細胞を生んでいます。

なぜ細胞を生むことができないか。癌になる人には、ある共通点があります。

短気者で分離感の強い人は酸性系の癌になりやすいのです。またいつも悩んでいる人、悩みが強い人は、アルカリ系の癌になりやすいのです。

怒鳴ったり、ちょっとしたことでも、怒ったりする短気者で、分離感が強い人は、体から酸素が抜けていきます。フ〜フ〜といつも悩んでいる人も、酸素が抜けます。

癌とは酸欠の状態なのです。

ある水を飲んだら癌が治った、と耳にすることがあります。事実治った人もいます。また同じ水を飲んでも、治らない人もいます。同じ水で治った人と、治らなかった人がいるということは、その水に原因があるのではない、ということになります。

癌は酸欠ですから、酸素の多い水を飲めば、よくなっていくことは事実です。

しかし、ここで大きな問題が生じます。

意識の状態です。いくら酸素を充電しても、怒鳴ったり、悩んだりが多ければ、充電より放電のほうが多いわけですから、治ることはないと思います。

小さな個人我から、寛大な全我の意識に転換することで、酸素補充が促進するのです。またあえて水や食べ物にこだわらなくても、自然と酸素補給がなされ、少しずつよくなっていきます。

原因である意識が変わらなければ、結果である癌がよくなることはないのです。結果は意識に絶対服従だからです。これは癌にかかわらずすべてに言えることです。

火

燃えているのは「空気」である

火とは何でしょう。木が燃える。炭が燃える。と表現しますが、本当に木や炭が燃えているのでしょうか。

ものが燃えるのには、条件が必要になります。

物質と空気です。空気がなければ、火はつきません。

また、木や炭が燃えている上から、空気を遮断しますと、火は消えてしまいます。

昔、お風呂を沸かしたり、釜でご飯を炊いたりするとき、燃え方が悪いと、筒状のものを使って、フ〜フ〜と空気を送っているのを見たことがないでしょうか。

空気を送ると、ボッボッと燃え始めます。

空気を遮断しますと火は消え、空気を送ると火は燃え盛るのです。

木が燃えているのか、空気が燃えているのか、よく考えてみてください。

小さめのドラム缶の中に木や炭を入れ、ドラム缶の底に穴をあけ、その穴から空気を送ります。そして中に入れた木や炭に火をつけます。そして空気の量を少しずつ多く出していきます。するとドラム缶の上から、ものすごい勢いで炎が上がります。

しばらくして空気の電源を切り、ドラム缶の中を覗《のぞ》くと、木や炭はほとんど燃えていません。

ドラム缶の上から噴き出していた炎は何が燃えていたのでしょうか。

空気です。ドラム缶という一定の枠の中で、高圧をかけると、圧が上がった分だけ、外部から空気を呼び込みます。その空気そのものが、変化しているのです。結果である木や炭が、燃えているのではないのです。

すべて原因である空気が、変化しているのです。これは前にも述べたように、エンジンが回る仕組みと同じなのです。

風力発電機

回転を起こしているのは風でなく「振動」である

風力発電機と言うと、誰もが風の力で回って電気を作る機械だと想像します。だから、飛行機の翼やプロペラなど、いろいろ研究して用いています。

風力発電は本当に風の押す力で回っているのでしょうか。

確かに風がなければ、発電機は回りません。また風が強ければよく回転します。

誰もが誤解しても仕方のない事実です。風力発電も、宇宙原理が働きます。圧の高いほうに、気が吸い込まれる、ということです。

例えば羽に風を受けます。前縁と後縁では、羽の形状にギャップがあります。

つまり一枚の羽の中に、高気圧と低気圧が生じるのです。

エネルギーは低いほうから高いほうに吸引されます。風というのは一つの結果なのです。結果で変化することはありません。

風という結果を受けた羽は、前縁と後縁の間に振動のギャップを作ります。この振動のギャップが、空気を呼び込む原因となります。

よく回る風車は少しの風でも振動が生じます。振動が生じなければ、風車は強風でも回転しません。

自然が作った代表的な風力発電は植物です。草や木の葉はほんの少しの風でも動きます。また昼間は光合成というソーラーパネルも兼用しています。風力発電とソーラー発電を兼ね備えた、ハイブリットなのです。

風力発電機は風の力で回転している、という発想には限界があります。

振動で回転している、という発想には、無限の力が秘められています。

風車にも原因と結果の法則、宇宙法則が成り立っているということです。

飛行機

空を飛ぶものはすべて「振動」で飛ぶのである

飛行機はなぜ飛ぶのだろう、と素朴な疑問が湧《わ》いてきます。

航空力学では、簡単に言えば翼で生じる揚力で空中に浮く、とされています。揚力を発生させるには、常に機体は動いていなくてはならないのです。

ではなぜ鳥やトンボ、蝶などは、空中で止まったり、バックしたりができるのでしょう。鳥やトンボなどは、航空力学では解明できていないのが現状です。解明されていない、ということはほかに理論があるということになります。

宇宙原理が二つもあるのでしょうか。

宇宙原理は一つしかありません。一つに定まっています。ではどちらかの理論が間違っているということになります。

ここで鳥やトンボの動きを、少し細かく見てみたいと思います。鳥が空を飛ぶときには、羽ばたいて飛んでいます。

トンボにおいては「羽ばたく」と言うより振動させている、と表現したほうが正しい表現だと思います。

そうです、振動です。鳥もトンボも蝶も羽ばたいているのではなく、振動させているに過ぎないのです。

飛行機も推進力で前に進むとき、摩擦振動が生じます。

例えば外部振動（上空の気圧）が地上2000メートルのところで、1500の自然気圧振動があるとします。飛行中の機体の内部振動が、1000の気圧振動のときは、2000メートルの上空まで達しません。機体の内部振動が150 0の気圧振動に達したとき、外部振動1500、地上2000メートルの上空まで、機体は引き上げられます。つまり、外部振動と内部振動が一致したところに、機体の存在がある、ということになります。

外部振動は、自然が作っている振動ですから、動かすわけにはいきませんが、内部振動を上げたり、下げたりすることで、外部振動と一致したところまで、機体は上昇、下降をする。

この理論が正しければ、飛行機、鳥、トンボ、蝶、熱気球、すべてのものが、すべて同じ原理で飛んでいる、ということになります。

実証テストをしてみました。

胴体は一つで、翼だけ二つ作りました。翼型、大きさ、角度すべて同じに作りました。一つ違う点は、振動数です。

一つは従来の作りで、もう一つは振動数が多く出るような作りです。

大きさはスパン2メートル級の大型機です。機体に従来の翼を取り付けました。エンジンをかけてスタートです。機体は助走して普通に離陸しました。普通にフライトを終え着陸しました。

次に胴体は同じものを使って、翼だけ、もう一つの翼に交換しました。エンジンをかけて再スタートです。するとビックリする現象が起こったのです。

エンジンの回転を上げた瞬間に機体は宙に浮き、そのまま垂直上昇していきます。50年近く飛行機に携わってきましたが、こんなことは初めてです。

風向きとエンジンの回転を合わせると、空中停止したり、バックしたりします。着陸もほぼ垂直下降です。無事飛行を終えたとき、自分なりに飛行理論の違いに、確信した瞬間でした。

それから40～50機くらい作って飛ばしてみましたが、どれもが鳥や蝶のように、異常な動きをする世界でした。飛行機の世界にも、宇宙原理、法則が働いていることを、自分なりに確信しました。

大ざっぱに、地、水、火、風、空と実例をあげて見てきましたが、外という物質結果を見れば、いろいろなものがありますが、内という原因を見れば、すべて一つのメカニズムに定まっています。

宇宙法則は、一言説、一つしかないから矛盾が生じないのです。一つしかないから、知恵という応用が、湧き出るのです。

根のない挿し木に肥料を与えてみたら

植物が教えてくれた非常識

私は生産農家に生まれ、園芸を営んでまいりました。今から32〜33年前になります。当時カルミヤオスボレットという名のツツジを、多量に生産していました。当時はこの手の種類は、挿し木ができず、手間はかかりましたが、接《つ》ぎ木にて生産していました。しかし、接ぎ木と挿し木では、作業時間に大幅な違いがあることは事実です。何とか挿し木で増やすことができないだろうか、といつも思っていました。

当時挿し木と言うと、鹿沼土という黄色い色の土に挿すのが普通でした。いくら柔らかいといえども土は土です。もう少し柔らかく、粘りがある土はないかと、探していましたが、適当な土は、見つかりませんでした。

ないなら作るしかありません。外国から輸入した柔らかいピートモスと、少し硬い国産のピートなどを、数種類ブレンドして、納得のいく挿し木床を作りました。

その挿し木床に挿し木を済ませました。初めてのことでしたので、数は少なめに作業を行いました。少ないと言っても2000~3000本はあります。

挿し木後も葉面が乾かないように、自動でミスト管理をします。

挿し木をして約1か月、発根はいたしません。発根するどころか葉面が黄色に変色し、落葉が始まりました。このままいけば全滅です。

葉が黄色になるということは、新陳代謝が行われていない、ということです。一種の栄養失調です。

根のない挿し木に肥料を与える、という行為はタブーでした。しかしこのまま置けば全滅です。そこで液肥を薄くして、葉面散布を試みました。3~4日に一度かけたでしょうか。日に日に葉の色ツヤがよくなってきました。

40~50日過ぎたと思います。挿し木箱の底から、白い根が数本確認できました。

発根です。

2か月近く葉面散布をして、管理を続けました。箱の底から根が一面にはみ出していています。成功です。70％くらいの発根率でした。

2度目の挿し木では、初めから葉面散布を与えました。葉は活き活きとして、落葉などは起こしませんでした。1か月くらいすると、箱の底から白い根が顔を出し、白い根でいっぱいになりました。発根率は八十数パーセントとなり確率が上昇したことは事実です。

人間や動物の赤ちゃんでさえ、生まれたときから、栄養のあるミルクを飲んでいます。挿し木はこうでなければいけないとか、肥料はタブーという固定概念こそが、科学の進歩を妨げてしまうことになります。

今の常識を塗り替えてこそ、科学の進歩が存在すると思います。常識に捉《とら》われずに、非常識の心を兼ね備えることも、大事なのだと植物は教えてくれました。

微生物には「ポジション」がある

アジサイが教えてくれた病害虫

私は園芸農家に生まれ、当時アザレアというツツジ類を主に生産していた時期がありました。市場出荷が中心でした。市場出荷なので、価格はまちまちなのですが、それにしても安値低迷が続き、生産種目の選択を余儀なくされました。

そこでシクラメンとアジサイに決め、生産を始めたのですが、軌道に乗るのには、時間がかかりました。始めて2~3年はうまくいかず、瞬《また》く間に4~5年が過ぎました。

5年も収入に問題があれば、経営に支障をきたします。パートさんの給料が払えなくなり、辞めてもらわざるを得なくなりました。

原点に帰って一人で始めました。

しかし、当時1000坪以上の施設ハウスがあり、一人で経営することは困難です。そこで、1年の食い扶持《ぶち》だけに手をかけて、後は見切ってしまいました。見切ったと言っても、捨てるわけにはいきません。来年回しにするため、枯れないように水だけは与えていました。

出荷する商品には、切ったり、肥料をやったり、いろいろ手を尽くしました。それでも虫や病気が発生してきますが、消毒などをして、何とか商品にはします。ところが、諦《あきら》めて来年回しにした作物には、全く病害虫が発生していないのです。

アジサイなど落葉した葉は、きれいに掃除をして、殺菌剤を散布しないと腐ってしまう、というのが定説です。しかし一人ですから、忙しくて手間がかかることは、できなかったのです。

本来病害虫の巣になってもおかしくないものが、全く健全なのです。密集して置いてありますから、売り物にはなりません。しかし見事に元気なのです。

「アジサイにはアジサイの葉で腐葉土を作って与えることが大事なのだ」と思って、アジサイの葉で用土を作って、苗を植えて試したところ、そのアジサイは、病害虫に汚染されてしまいました。

その間、水だけを与えている苗には、全く病害虫がつきません。何で植え替えると虫が来て、植え替えないと虫が来ないのだろう、とずいぶん悩みました。

思い当たった事はすべて試したと思います。

しかし結果の違いは歴然と出ています。一つだけわかっていること、それは、この違いの原因は、私が知っている、ということです。苗や土を他所《よそ》から買ってきて植えたのならともかく、苗も土もすべて自分自身が手がけてきたからです。

悩みに悩み抜きました。最後にこんなことはないよな、と思ったのは、片方は新しい土に植え替え、片方は植え替えずに、水だけあてがっていた点です。

そこで尺鉢《しゃくばち》300鉢にブレンドをしていない土だけを入れ、そこに穴を掘り、苗を差し込みました。葉は鉢の上に置きました。苗に水だけ与えていたときと同じスタイルです。

片方の300鉢には、従来通り土に腐葉土などをブレンドした用土で植えてみました。

300、300、計600鉢、60センチの通路を挟んで、300鉢ずつベンチの上に置き、水だけで管理をしました。

2〜3か月たったでしょうか。見事に違いが出ました。片方は虫の巣、片方は全くと言っていいくらい、病害虫が発生しないのです。そのとき頭に浮かんだことは、自然界はトラクターが入っていない、ということです。

微生物には自分のポジションがあります。このポジションを混ぜ合わせれば、微生物は自分のポジションに戻る働きが出ます。

病害虫の発生です。微生物の位置づけがしっかりしていれば、彼らは移動しません。移動がなければ、病害虫の起こる要素が発生しないのです。つまり病害虫の発生がないのです。

病害虫とは、偶然に発生するものなのでしょうか、人間が作り出しているのでしょうか。

畑に堆肥や肥料を蒔《ま》いて、無機物に有機物を混ぜ込んでいるのは誰でしょうか。堆肥や肥料が悪いのではなく、混ぜることにより、微生物のポジションを変えてしまう点に問題があるのです。

病気は作るものなのです。
作らなければありません。
自然は病気を作りません。

南米ボリビアでの大規模農場

自然に任せた農法で収穫を得る

我が家にも時代の変化とともに、都市化の波が押し寄せ、園芸経営が難しくなりました。

ある人に、ボリビアに行ってみないか、と声をかけられたのをきっかけに、単身でボリビアに移住することになりました。

初めて見る地平線。膨大な農地の広さです。移住して2~3年過ぎると、地元の人々との交流が芽生え始めました。

一農家の耕作面積は、300~500町歩は普通で、多い人は何千町歩も耕していたます。夏作と冬作の二作に分けられます。夏作では主に大豆の生産をします。

無農薬で大豆を生産してみないか、と私が声をかけ、生産試験をすることになりました。私は試験だから、300坪くらいでよいと思って話をしたのですが、なぜか20〜30町歩やることになりました。場所もでかいが、肝っ玉もでかいのにビックリしました。

大豆の種処理から始めました。

ひと袋に30キロの大豆が入った袋の上部の糸だけ解き、袋の口を開きます。狭い部屋の中に袋ごと置いて、一晩その部屋で加湿器を使って加湿します。空気処理です。発芽率がよくなり、成長促進に繋がります。

畑はいじらず、種処理だけで様子を見ました。

発芽率はよく、生長していきます。

しばらくすると、虫がやってきました。大豆酵素を作って散布します。試験とはいえ面積が大きいので動噴はそのままでは使えません。バイクの荷台に、背負い動噴を括《くく》り付けて、バイクで畑の中を走らせました。

当然大豆に酵素が上手にかかることはありません。大豆の周りの空気にかけている、と表現したほうが正しいです。

大豆にかからなくとも効果があるか、と少々不安でしたが、意外に効果が出ました。虫が死んでいなくなるのではなく、虫は少々いるのですが、虫に元気がなく、作物を荒らさないのです。

これも、空が物質を変化させる、と実感した一例です。

次の年は本格的に作業を行いました。面積も500町歩に拡大し、畑の処理も行いました。

サトウキビを発酵させ、発酵を終えたキビと大豆を再度発酵させます。大豆との発酵を終えた菌と畑の土を、よく混ぜます。混ぜながら液状菌を散布し、さらによく混ぜます。混ぜ終わった土壌は、ブルーシートに包み、1週間くらい寝かせておきます。1週間過ぎたらシートをあけてよく乾燥させます。これで大豆専用の菌は完成です。

乾いた土壌菌は袋に入れて保存しておきます。次は圃場《ほじょう》です。播種《はしゅ》する日から逆算して、1か月、できれば2か月前がベストです。2か月前くらいに、畑をトラクターで深く耕します。しばらくすると、畑一面に細かい雑草が生えてきます。細かく生えてきたその雑草の分だけ上部を耕します。

決して深く耕してはいけません。微生物のポジションが狂います。

畑を深く耕して、細かい草が生えて、畑が淡い緑一色になったら、緑の色の分だけ浅くトラクターをかける。この一工程を、約2か月くらいの期間内に、終わらすことが大事なポイントです。早すぎても、遅すぎてもうまくいきません。

このように、管理した畑に種を蒔くわけですが、種も以前加湿器を使って処理したように、同じく処理を済ませておきます。その種と、乾燥させた土壌菌を混ぜて、播種機で種を蒔きます。後は芽が出るのを待つだけです。

雨が降った2〜3日後には、ちくちく芽が出始めます。1週間もすると畑一面が真っ青になります。しばらくすると、雑草が生えてきますので、カルチで削り取ってしまいます。何度か繰り返しているうちに、大豆は大きく生長します。

大豆で覆われた畑には、雑草はあまり生えてきません。もちろん、生長に伴い、葉面散布の回数も増やしていきます。後は収穫を待つだけです。

こうして収穫した大豆は収穫量も多く、長く腐敗しません。

大豆は普通2年くらいすると、虫だらけになりますが、10年過ぎても健全です。

次の年には耕作面積を500町歩に拡大しました。作業工程は以前と同じく、面積だけを増やしました。

播種から3か月過ぎ、作物も大きく生長し始めたころです。雨が全く降らなくなりました。干ばつです。大豆の葉は日に日に落ちていきます。虫も多量に発生してきました。それでも葉面散布は定期的に散布していました。葉はすっかり落ち丸裸の状態です。隣の畑はよく消毒をしているので、虫も少なく葉は真っ青です。しかし干ばつのため、葉は垂れています。

雨が降らず干ばつは続きました。時折パラッと降る雨で、先端のほうの葉だけを維持している程度です。大豆は普通60％以上葉が落ちると実はつかない、とされています。普通なら諦めてしまうのですが、それでも散布だけは続けました。

いつの間にか隣の畑は褐色になり、立ち枯れが始まりました。我々の畑の大豆は葉がないため、褐色になる要素がありません。収穫時期を迎えるころには、隣の畑の大豆は、すべて立ち枯れを起こし全滅です。我々の大豆は、わずかにある葉とわずかに降った雨で、わずかな収穫になりました。

葉を自ら落とすことで、葉からの蒸散を防ぎ、わずかでも実をつけるという、自然の力を見せつけられました。

自然に逆らった農法は全滅で、自然に任せたほうは収穫を得る、自然の法則とはたいしたものです。

フリーエネルギー

原因の世界を「フリーエネルギー」と呼びます

フリーエネルギーとは永続を意味します。物質には永続性はありません。従って物質的なものは、本来フリーエネルギーとは呼べないのです。

本当のフリーエネルギーとは、物質を構成する元にあります。無限質量とエネルギーです。原点です。

原因の世界を、フリーエネルギーと呼びます。結果の自分から、原点の我に返ることを、フリー化した、とも言えます。

一般的には、フリーエネルギーと言うと、電気も使わず、ズーッと回っているモーターのイメージが強いと思います。フリーエネルギーなどあるものか、だいいち電気もないのに回るわけがない、と言う人も多いです。疑いを持っている人に、現物を見せても、意味がわからない、という答えが返ってきます。

実際、目の前で隠すことなく、裸同然で実演しても、疑う力を弱めません。なぜ目の前で起こっている事実を、疑うのだろう、と私のほうが疑問に思います。細かい点を除くと、問題は一つです。有限性の心で無限は理解できないのです。どんな人も、自分の想像を超えたものは、理解できません。

先ほども述べましたが、結果である物質の見方から、原因であるエネルギーの見方に変えなければ、永続という世界は見出せません。物質に手をかける前に、自分が物質の見方を変えなければ、理解できるはずがないのです。

理解できない人が、いくら研究しても進展はありません。フリーエネルギーの研究とは、自己研究そのものなのです。自分とは何なのか、自分とは何によってできているのか、なぜ人間は動くのか、このような素朴な疑問の真の理解が、フリーエネルギーの基本なのです。

誰もが自分を追求すると、神に到達すると言われています。誰もが自己追求するとフリーエネルギーに到達する、とも言えます。

従ってフリーエネルギーと神とは同じなのです。

神とは宇宙法則そのものなのです。ですから、フリーエネルギーとは、同じく宇宙法則なのです。

我々は幼いときから、分離科学、分離学習として、教育を受けてきました。微生物はこうで、波動の世界はこうだ、といったように、いろいろな学問が存在しています。宇宙にそんなたくさんの学問が、存在しているのでしょうか。

宇宙に存在している学問は、たった一つのみです。

たった一つの学問に、多くの呼び名をつけて、たくさんの法則や定義の中に、我々は生きている、と長い間教えられてきました。この分離科学の教育そのものが、人類崩壊の一歩なのです。

人間の数だけ、命があるのではない、言葉の数だけ意味があるのではないのです。たった一つの宇宙生命が動物、植物、鉱物すべてを生かしている命なのです。

水素が形態を作り、酸素がその形態を動かしている、言わば水素と酸素は一体になっているわけです。従って水素と酸素は一対、一体の存在であり、同じものなのです。

人間から酸素を取ると、人は動きません。死体と言います。人という形をとって、動いているから人間と呼びます。

水素と酸素を切り離して見てはいけないのです。

微生物は、水素と酸素で構成されています。水素と酸素は、微生物で同じものなのです。微生物は動いています。この動いていることを、波動と言います。微生物と波動は一体で同じです。

水素と酸素を別名、電子と原子と呼びます。

または、水質量とエネルギーとも言います。

これらを生命と言います。

生命は宇宙法則であり、神でもあるのです。

では、神と人間は別のものなのでしょうか。

神と人は同じものなのです。我、神なり、です。どれをとっても神、仏、生命に到達します。同じ意味だからです。この心境が、フリーエネルギーなのです。

我々は形をとって動いていると、生命と呼び、動かなくなる、また形が壊れると、死んだと呼びます。非常に間違った見方です。形をとっていても、形がなくても生命なのです。

生きている微生物が、固まって形を作り、生きているのです。初めから生きているのです。この微生物はバラバラになっても、死ぬことがないのです。

形を見れば死と呼びますが、本質的には、死という世界は存在しません。形という物理の世界に、死という言葉があるだけで、本質の原因の世界には死は存在しません。

この本質を意識して生活をしている人を、天に生きる、天国の従事者と呼びます。結果である、物理の世界で生きている人を、地に生きる、地獄の従事者と呼びます。

天国や地獄という場所があるのではなく、本人の意識の状態が、天と地に、分けているに過ぎないのです。天に生きるとは、この世もあの世も全ては一つなのだ、という実感の中に、生かされて生活しています。

地に生きるとは、いろいろなものがあって、人間にはいろいろな考え方があるのだ、と思い込んで生活している人たちを指します。意識の状態が違うだけなのです。

出したものが返る、と表現しますが、この意味をどのように捉えるかです。

単なる口先の意味ではないのです。

宇宙は中性で存在している、と言いました。言葉の意味も、行動もすべてはバランス化されて、終わります。バカと言えば、バカと言われて中性化します。嘘をつけば、嘘をつかれて中性化されます。詐欺を働けば、詐欺によって清算されます。人を殺せば、殺されて清算です。

この真理を知っている人は、絶対に嘘をついたり、人を騙《だま》したりしません。自分に返ってくることを知っているからです。真理を知らないから、人を騙したり、盗みをしたり、争いをするのです。

従って、この世で一番罪が重いのは、真理を知らないことです。真理の普及が、戦争撲滅《ぼくめつ》であり、経済の普及なのです。

今のままで、経済が上向きになると思いますか。絶対に潰《つぶ》れます。

地球の存続には、真理の普及しかないのです。真理とは、宇宙法則、神そのものだからです。

言葉の意味も突き詰めれば、同じことです。表面的な言葉に左右されず、内面的メカニズムを見て、行動をすることです。外から来るものには、成功と失敗が存在しますが、内から湧き上がってきたことには失敗がありません。善のみです。テレビをイメージしてみてください。テレビだけでは、画像は出ません。テレビ局から信号を受けて、信号の通り画像として、映し出しているのです。では人間は違うのですか。

一般的には、テレビと人間は、同じはずがない、と言います。しかし、メカニズムは人間もテレビもすべて同じなのです。

人間自らは無なのです。人間という物質は、空《くう》という生命に、生かされている身なのです。言わば、空《くう》の操り人形みたいな物質なのです。

空《くう》は、絶対なる法則です。

人間も空《くう》という電波を受けて、動く動物なのに、自らの考えで動く者だ、と大きな錯覚を持っています。錯覚で動いているのですから、失敗はつきものです。

空《くう》という神の啓示を受けて動くには、全体を我として見る必要があります。全体を見回した中で、私はこうしてみたい、という思いそのものが、神の啓示なのです。神は決して耳に、ささやくものではありません。意志が湧き上がってくる状態なのです。声が聞こえてきたり、形になって出てきたりしたら偽物です。神は無形無想の大霊だからです。形も想いもない神が、形になって出てくることは、絶対にありません。

自分が神の化身と自覚があるなら、自分がイメージしたそのものが、神の啓示ではありませんか。自分は人間と意識している人に、神の啓示が下りるわけがないのです。

あなたは自分が意識した通りの存在なのです。

今の世界的不況は、100年に一度という世界ではありません。地球始まって以来の惨事《さんじ》なのです。なぜなら、今まで何万年も、自然の法則と反対の行動をとってきたからです。長い間の蓄積が今、中性化のため、反応を起こしている状態です。

欲望のため、戦争や争いを起こし、人を殺してまでも奪い取る心、物理的な心、間違ったエネルギーの使い方のしっぺ返しが、大きな清算に繋がります。物理を水爆に例えるなら、エネルギーは原爆です。比べものになりません。

農薬で汚染された野菜、二次公害として発生する地下汚染、大気汚染。畜産、養殖加工、くだものなどの薬品漬け、ホルモン処理、あげればきりがありません。

家庭からの多量の洗剤、サイクルが反対の工業、生命が何であるかわからないまま時間が過ぎ、頭打ちの医学界、日本だけではなく、世界がこのようなことを、毎日疑わずに、行っているのです。

この状態で「地球に優しく」と訴えても、掛け声だけであって、何の意味もありません。

根本的なところにメスが入らないで、結果である税金を上げても、経済は絶対復活いたしません。

今、ガソリン車から電気自動車に切り替わってきました。一見、公害がなくなり、よい時代が来るように思えますが、モーターにも公害があるのです。

放出サイクルであれば、地場破壊は避けられません。

代表的なモーターに、リニアモーターなどがあります。電波もアナログからデジタルへ、と聞こえはよいですが、破壊力の大きい、パルス波動に変わったのです。これだけ悪い条件が揃っていて、20年、30年先の話をする人たちがいます。20年どころか、2年先もわかりません。

わかっていることは、必ず清算があるということです。災害を少しでも食い止めるには、できるだけ多くの人に真理を伝え、実行するしかないのです。

本来、真理とは習うものではなく、実践的なものなのです。なぜかと言うと、神の啓示とは、実行しているときに、直接来るものだからです。人から教えてもらっているときや、本など読んでいるときは、間接的啓示であっても、直観としての、神の啓示は来ません。何か仕事をしているとき、こうしてみよう、あのようにしてみよう、という思い、そのものが啓示だからです。

第２章

日本昔話解／空《くう》なる内面世界へ

それは内面的、心の状態における真理を述べ伝えるものだった

日本昔話

世界には、キリスト聖書や仏典などの聖書と言われる本が存在していますが、日本にも日本語で書かれた聖書が存在します。

それが、日本昔話なのです。

日本昔話には、作者が存在しません。誰が書いたか、わからないまま、何百、何千年たっていると思います。

日本昔話は、すべて内面的なことが書かれているわけですが、ほとんどの人は、外面的に捉えて解釈されていると思います。

代表的な物語を、内面的に抜粋して、解釈してみたいと思います。

花咲かじいさん

宝とは全我との同調、空との融合のこと

花咲かじいさんは、昔話の中でも、代表的な物語だと思います。おじいさん、おばあさんが登場するわけですが、ここで登場する、おじいさん、おばあさんは形を持った人間としての結果ではなく、意識の世界の、おじいさん、おばあさん、なのです。

すべて、この物語は、内面的な世界ですから、結果である外面の世界ではなく、原因である内面の世界を捉えて表現しています。

白い犬がおじいさん、おばあさん、のところに迷い込んできます。当然この犬も、犬という物質を見るのではなく、白いもの、として見るのです。

白とは何か、全我である心を白色にたとえたのです。

おじいさん、おばあさんは、白い犬をかわいがる、と書いてありますが、かわいがるとは、おじいさん、おばあさんは、全我と同調していた、ということです。

全我と同調していた心は、何を生んだのでしょう。ここ掘れワンワンと、金や銀の宝物を掘り出したのです。分離感のない心は、その宝でさえ、多くの人に分け与え、平等の心を持っています。逆に言えば、平等の心、分離感のない心、そのものが、宝を生み出した、と言えます。

それを見ていた個人我は、その白い犬を貸してくれ、と言ったと書いてあります。全我の心は疑いもせず、犬を悪いじいさんに貸します。当然この悪いじいさんは、宝を掘り出したら、すべて自分のものにしようとする心は、見え見えです。このような心は、宝を生んだのでしょうか。

同じ犬を使っても宝どころか、ガラクタしか出てきません。明らかに心の違いで、物質も全く違うものが生まれる、と解釈できます。

宝を手にできなかった悪いじいさんは、自分の心を反省しないで、犬に八つ当たりして、殺してしまいます。ここでは、犬を殺した、というより、全我に目覚めない、と解釈したほうが後々のストーリーに、繋がりやすいです。

大事な犬を殺されても、おじいさん、おばあさんは、悪いじいさんの悪口一つ言いません。本来、白という生命は死ぬことはありません。死とは、犬という形が、崩壊しただけです。この物語では、常に白という犬、つまり、白という名の生命を、おじいさん、おばあさんが意識している、ということです。

何と酷《むご》いことをする、と言って死んだ犬を引き取ります。そして、穴を掘り、死んだ犬を埋めて、小さな苗木を植えた、と書いてあります。その苗木に毎日水をやる、つまり毎日生命を意識している、ということです。やがて、苗木は生長して大木になります。その大木に雷が落ちて、木が割れて倒れた、と書いてあります。その木で「臼《うす》」を作ったと書いてあります。

イオンを持った木に、雷のような強い電圧をかけると、非イオン系に変化します。中性です。その「臼」を突くと宝が湧き出た、と書いてあります。全我で生命を常に意識している心は宝を生む、というたとえです。

中性は空《くう》と融合します。それそのものを宝とたとえたのです。

その宝もおじいさんは、皆に分け与え、自分だけのものにはしません。宝が出てくることを知った、悪いじいさんは、その臼をおじいさんから借りてきて、同じく突きました。そこから何が出たのでしょうか。

おじいさんのような宝は生みません。出てきたのは、またしても、ガラクタだけです。同じものを使っても、宝とガラクタに分かれる。

明らかに心の表れを表現しています。悪いじいさんは、また物質に八つ当たりして、その臼を燃してしまいました。

臼を燃したということは、真我に目覚めない、自我の心という意味です。常に臼という犬、つまり常に生命を意識しているおじいさん（生命体）は、灰になった臼を持ち帰ります。そのとき風が吹いてきて、その灰が桜の木にかかり、桜の木に、花が満開になった、と書いてあります。

灰はものを再生する力を持っています。植物の癌と言われる「バイラス」でさえ、90％以上の確率で再生します。なぜなら、アルカリは必ず、空《くう》という酸を呼び込みます。生命を呼び込むということです。

おじいさんは、お殿様がその道を通るとき、桜の木に登って、その灰を蒔いて、見事な花を咲かせ、お殿様から、たくさんのご褒美《ほうび》をいただいた、と書いてあります。

先ほども言いましたが、花が咲くとは、再生です。アルカリは、必ず空《くう》という酸を呼び込む、宇宙の中性力が働いているのです。

それを見ていた悪いじいさんも、お殿様から褒美を貰おうと、桜の木に登って同じ灰を蒔くのですが、花は咲きません。灰はお殿様の目に入って、お殿様からお仕置きを受けた、と書いてあります。

同じ物質を使っても、同じ結果は出ない、使う人の意識（心）の状態で大きく変化するのです。

結果である物質の使い方の「マネ」をするのではなく、原因である、動機の心を「まね」なくてはなりません。

「花咲かじいさん」は心の表れを表現している教えです。

小さな法則、魂の成長の物語

一寸法師

一寸法師を漢字で書くと、小さな法則の師匠となります。

ここでも、おじいさん、おばあさんが冒頭に登場します。もちろんこのおじいさん、おばあさんも結果である人間では、ありません。おじいさん、おばあさんの正体は最後に理解できると思います。

子供がいないおじいさん、おばあさんが子供が欲しいと願うと、何と小さな子が授かった、というところから見ていきたいと思います。

時間がたっても大きく成長しない子を見ておじいさん、おばあさんは心配します。そんなことも心配しないで一寸法師は時間を過ごします。

あるとき一寸法師は、おじいさん、おばあさんに、都に行きたいと話します。都とはどこなのでしょう。そもそも一寸法師とは、何者なのか。

お椀《わん》に乗って都へ行く、これは上から見ればオタマジャクシです。精子そのものです。お椀の中に人間の遺伝子が入っているのです。

都に行く一寸法師に、おばあさんは、針の刀にわらのさやを用意した、と書いてあります。有機と無機の複合体を意味します。

ツクシが生え、タンポポの花が咲くところの川に流した、と書いてあります。ツクシは男性を意味し、タンポポは女性を意味します。つまり、男女の交尾を意味しているわけです。

川の流れに乗って、都に行く、とは筒の中を通って、子宮の奥に到達、受精するということになります。

そこでお殿様と出会い、姫の家来になれと言われた、と書いてあります。

一寸法師は、女の子として生まれてくるのです。姫として読み書き、そろばんを習います。一寸法師は、人間という固定概念を持った状態で、成長していきます。

ある日一寸法師である姫は、お寺に行きます。その帰りに鬼が出た、と書いています。姫は何をしに、お寺に行ったのでしょう。

お寺に行くとは、先祖参りか神に祈るか、です。先祖であるおじいさん、おばあさんは、精子である、一寸法師が現れる前から存在しているのです。

先祖、神を外に求めるな、先祖我が内に処す。内在の神、仏と言います。先祖や神は姫である心の中に、存在しているのであって、外面的な世界に存在しているものではないのです。

先祖、神、仏をお参り、という外に求めた行為そのものを、鬼とたとえたのです。鬼という妖怪が、存在しているわけではないのです。自分と神の分離感が「鬼」なのです。

一寸法師はその鬼を倒した、と書いてあります。

一寸法師は、分離感から一体感に変化したのです。個人我から全我への心に成長した、ということです。人生という鬼の戦いの中から、本源である世界を見出した、内の世界から湧き上がってきた、だからうちでの小槌とたとえたのです。

一寸法師は、魂の成長を意味している聖書なのです。

昔話にはよく鬼が出てくる場面がありますが、鬼とは、自我意識そのものなのです。自我意識とは、自分は個人で、自分だけよければいい、という分離の心のことを言います。

桃太郎

鬼退治とは、個人的意識から宇宙全我の心に変わること

桃太郎でも鬼ヶ島に鬼退治に行くと書いてありますが、鬼ヶ島とはどこにあるのでしょう。

自我意識を持った人が住んでいる島です。どこということはありません。地球そのものではありませんか。

なぜなら地球人のほとんどは、自分は人間という、独立した生き物、と思っていませんか。ほとんどはそう思っているはずです。

桃太郎が鬼を退治に、ともに連れていった動物は、猿、犬、キジ（鳥）、と書いてあります。

猿は動物の中では、アルカリを意味し、犬は酸を意味します。キジ（鳥）は空そのものです。

三《さん》位《み》一《いっ》体《たい》すべての要素を得るものは、自我意識の克服です。鬼退治とは個人的意識から、宇宙全我の心に変わる、変化するという意味です。

どうして犬が酸で猿がアルカリかと、疑問に思いませんか。物質には酸とアルカリしか、存在していないのです。どんな動物も、酸性系とアルカリ系に分類されます。

日本語でよく対照的に、一対で話をすることがあります。犬と猫、タコとイカ、馬と牛、このような言葉は耳にします。これらは酸とアルカリの関係なのです。

歌の文句にもありますが、雪が降ると、犬は外で駆けずり回り、猫は寒いと家の中で丸くなる。外で走り回る、とは能動的で、家の中ということは、受動的なのです。能動はプラスで酸を意味し、受動はマイナスでアルカリを意味します。

土壌菌も上のほうがプラス菌で、下のほうがマイナス菌です。犬は、糞や小便は地面の上にします。猫は手で穴を掘って、用を足します。この時点で酸性系とアルカリ系に分かれます。

また、酸性系の糞は、糞ころがしが処理をし、アルカリ系の糞は、ミミズが処理をします。糞尿処理もキチッと役目が決まっているのです。

タコは海の上のほうにいて、イカは海の下のほうにいます。海とて上は酸で下のほうはアルカリです。

自分の性質と同じポジションに存在しているのです。

馬も能動的で男性原理だし、牛は受動的で、ミルクや肉は、多く食されています。同じ草を食べている馬の糞と牛の糞は異なります。馬の糞は、パサパサしていて軽く、糞ころがしが処理をし、牛糞はズッシリ重たく、ミミズが処理します。

糞ころがしとミミズの関係も、酸とアルカリの関係になります。

舌切り雀

意識というエネルギーのあり方の物語

大型動物もこのように分けられます。大型動物が登場する昔話では、「舌切り雀」などがあります。欲のないおじいさんが、雀のお宿を探しに行く物語です。雀のお宿とは、雀の巣のことではなく、天を意味しているのです。

雀のお宿を探しに出たおじいさんは、しばらく行くと、馬を洗っている馬洗い様と出会います。その馬洗い様に、雀のお宿はどこか知っていますか、とおじいさんが尋ねると、その馬洗い様は、この馬を洗った水を3杯飲めば居場所を教えてあげる、と言ったとあります。本によっては、7杯飲めば教えてあげる、とも書いてあります。いずれにしても中性を意味している言葉です。

3杯とは、酸、アルカリ、中性です。7杯とは、pHで中性を意味します。おじいさんは、その馬を洗った、酸の水を3杯飲んだ、と書いてあります。中和したと解釈できます。

すると馬洗い様は、向こうに行くと牛洗い様がいるから、そのお方に聞きなさい、と言います。その牛洗い様に、雀のお宿を尋ねると、牛洗い様も、この牛を洗った水を3杯飲めば教えてやる、と言ったと書いてあります。アルカリの中和です。

馬と牛の洗い水を3杯飲んだ、ということは、酸とアルカリのバランスをとった、ということになります。中性です。天は中性原点ですから、雀のお宿が見つかった、となります。

そこで探していた雀と出会い、帰りに雀（天）からお土産をもらいます。大きいほうと小さいほうと、どちらがよいか、と尋ねられると、欲のないおじいさんは、小さいほうで結構です、と答えました。

家に帰ってその土産箱の中を見ると、金銀のお宝がいっぱい入っていた、と書いてあります。欲望のない、天の世界に住んでいる人は、幸せに満たされる、という意味です。

それを見て、私も雀のお宿に行って、もっと大きい宝箱をもらってこよう、と欲のあるおばあさんが思ったのです。思ったことは現れます。おじいさんと同じく、馬と牛洗い様に会い、3杯同じく洗い水を飲みほし、雀のお宿にたどり着きます。そこで同じく帰りに、宝箱をもらうのですが、欲望の多いおばあさんは、当然大きい箱を選びます。箱が大きいとか小さいとかの意味ではなく、欲望の心が大きいか小さいかの選択です。

大きい箱から出てきたものは、宝ではなくガラクタだけでした。おじいさんもおばあさんも同じく天を見て、天の存在を知っているわけですが、自分の意識している状態で、このように、大きく道が分かれるのです。

意識というエネルギーがすべてを決定しているということになります。意識はエネルギーです。

浦島太郎

竜宮とは〝子宮〟のことである

カメに乗って竜宮に行くところから見ていきます。竜宮とはどこにあるのでしょう。ここで意味している竜宮とは、羊水、子宮のことです。

カメで子宮に行くわけです。男女の交尾を意味します。太郎は精子です。

そこで、1年間ごちそうになった、と書かれています。本によっては、四季の扉があり、その扉を一つ一つ開けると、春、夏、秋、冬に分かれている、と書いてあります。いずれにしても、正確には10か月10日いたわけです。

子宮で成長した太郎は、もう家に帰る、と言います。出産です。誰もが生まれるとき、乙姫様という天から、玉手箱をいただいて、生まれてくるわけです。その玉手箱の中には、人間という結果に固執するな、生命として生きよ、と大きな約束があり、その中に生まれてくるのです。

しかし、太郎のようにほとんどの人は、天との約束を忘れ、玉手箱を開けてしまうのです。

開けてはいけない、という天との約束を忘れた太郎は、玉手箱を開けてしまいます。すると、たちまち煙が出てきて、太郎はおじいさんになった、と書いてあります。

天という霊界は、不死不滅の生命として存在しますが、人間という形態は、必ず年をとり、老いて肉体崩壊という「死」に至ります。開けてはいけない玉手箱とは、人間という有限性に染まるな、生命として生きよ、という強い思いが込められている箱なのです。

1段目の箱を開けたら年をとって老いていき、2段目の箱を開けたら、鶴になって飛んでいった、と書かれています。

鶴とは何でしょう。鶴は渡り鳥です。行ったら必ず帰ってきます。輪廻転生《りんねてんしょう》を意味しています。

我々は霊界に住む、意識体なのですが、ほとんどは形態を持つ、幽界に留まってしまいます。生命に生きよ、とは霊界に住む、ということです。

私は人間だ、と思って生きている人は、また人間に生まれ変わるし、私は、生命であり、大霊だ、と意識している人は、生まれ変わりのない世界に存在しているのです。

人間の仕事とは、名や財を残すことではなく、輪廻の克服以外にないのです。

病気がテーマの物語

こぶとりじいさん

ここで、病気をテーマにした物語を見て見たいと思います。何だと思いますか。「こぶとりじいさん」です。

おじいさんの頬っぺたについている瘤《こぶ》は何でしょう。外面から見ると、「こぶ」です。しかし瘤が内面に存在していたら何でしょう。癌です。腫瘍《しゅよう》でもいいです。

ピーヒャラピーヒャラと笛を吹く、愉快なおじいさんは、山で鬼たちと出会います。酒盛りをしている鬼たちに、おじいさんは笛を聞かせてやると、上手だ、愉快だ、と鬼たちは大変喜んだ、と書いてあります。鬼たちは、おじいさんに、明日も来て笛を聞かせるように、と約束をしました。

しかしおじいさんは、鬼たちとの約束を破り、行きませんでした。腹を立てた鬼たちは、おじいさんを捕まえて、頬っぺたの瘤を取ってしまいました、と書いてあります。

鬼とは先ほども言いましたように、自我意識、個人意識のことです。おじいさんが、自我意識との約束を破った、とは自我意識から全我の心に変化した、ということです。

全我になったおじいさんから瘤が消えた、つまり癌細胞が消えた、なくなった、ということです。癌にかかわらず、病気というのは、自我意識に出てくるもので、全我の心には出ません。

また自我から全我に心が変化したとき、おじいさんのように、病気は治ってしまいます。逆に言えば、病気とは、自分の心の表れ、として出てくるもので、病気の種類によって、おまえの心はここが悪いよ、と訴えかけてくるようなものです。そう考えると病気は本当に悪いものなのでしょうか。

この世に悪は存在しません。自分の自我意識、個人意識そのものが悪なのです。

物語の続きですが、それを見ていた自我のおじいさんも、鬼に瘤を取ってもらおう、と鬼に接触しますが、心が変わっていないおじいさんは、瘤を取るどころか、もう一つ瘤をつけられてしまいました、と書いてあります。癌の転移です。

自我の心で何をやっても、癌は治りません。結果である自我意識から、原点である全我の心に意識を転換することが、癌を治す特効薬なのです。

竹とは〝中性子〟を意味している

かぐや姫

竹から生まれたかぐや姫。竹から人間が生まれることはないです。ここで言う竹とは、中性子のことを意味しています。松、竹、梅です。

松の葉は細長く、海岸沿いに多く見られるアルカリ系です。

梅の木は葉が丸く、梅の実は酸です。酸とアルカリに分かれます。

では、竹は。

竹は中性です。中性から生まれた姫なのです。正確には中性の心を持った、意識体と言ったほうがいいと思います。中性はすべてを生み出している源です。宇宙は中性で存在しています。

姫が成長し結婚適齢期を迎えます。5人の青年がやってきます。5人衆に結婚の条件として、難問を提示します。

5人は姫から出された意味がわからず、目先にある偽りのものを持って献上します。一人一人頼まれものを姫に差し出すのですが、姫は5人の者に、これはすべて偽物である、と見破ってしまいます。

姫は何を5人の者に頼んだのでしょうか。

姫が頼んだのは、土、水、火、風、空と、この世の五感的物質ではなく、内面的なものだったのです。

姫はどうしてこれらはすべて偽物です、と言えたのでしょうか。姫は本物を知っていたからです。本物を理解している姫はどこに帰ったのでしょうか。月を天にたとえ、天に帰ったのです。

五感物質で生きる世界を地獄と言い、原点、本質で生きる世界を天国と言います。

天という場所があるのではないのです。地という場所があるのではないのです。原点の心で生きているか、物質的結果で生きているかで、心の状態の相違だけなのです。

実際には天国と地獄は同居しているわけです。この世で悟った方は、この世の天国に住んでいる、と表現し、未熟な心でこの世に住んでいる方を、この世の地獄に住んでいる、と表現しているだけなのです。

このように日本昔話は、外面的には意味がわかりづらい物語ですが、内面的には、すべてが統一された聖書なのです。

第３章

現われ実った結果は多数でも、真実はたった一つ！

原因からイメージしたビジョンに間違いはありません

考えすぎ

一つしかない法則なのに、よくわからないとか、難しいとか耳にします。逆にどこがわからないのだろう、どこが難しいのだろう、と思います。

ほとんどの人は、真理とは途轍《とてつ》もなく深く私に理解できるのか、と別世界のイメージが強いものを感じます。確かに無限の深さに違いはないのですが、それは基本的に考えすぎです。

真理とは、我々が無意識で日常の生活をしている状態そのものなのです。

ただ、一つだけ大きな違いがあります。

その前に、結果がよいか、悪いかは別にして、見てみたいと思います。

我々が行動を起こす前に、その行動のビジョンがまず作られます。例えば、明日東京に行かなければならない、と思えば、東京に行くわけです。決して大阪には行きません。なぜなら東京に行く、と意思表示のエネルギーが働いているからです。

どんな人も、自分の意識エネルギーに忠実に動いているのです。東京に行こうと思っている人の足だけが、勝手に大阪に向いて歩き始めることは絶対にありません。どんな人も自分の作ったビジョンの通りに動いているのです。これそのものが、真理の基本なのです。

真理とは、自分の意識ビジョンの通りに、自分の肉体がついてくるだけのことであって、特別なものではないのです。

食事、料理にしても、自分が食べたいと思ったものを食べに行き、食べたいと思った料理を作る。思った通りの結果が出ているのです。

あそこにある「ほうき」を持って来てくれ、と頼んだらバケツを持ってきた。おまえ、人の言うことをよく聞いて動け、バケツではなく「ほうき」だと言ってほうきを持ってこさせた。こんな経験はあると思います。

自分の思ったことと違うものが現れているのではないか、と思いますが、自分の頭の中では「ほうき」と思っているのに、口では「バケツ」と言っていることが多いのです。もしくは、相手の聞き違いで、ほうきとバケツを間違えた、ということですが、間違えるような性格の人に、頼んだことに問題があるのです。

目の前に現れた結果は、自分以外の者に責任はないのです。自己責任であって、他人責任という言葉は存在しません。

自分のイメージしたことが、結果として現実に現れているのです。原因と結果は一体ということになります。自分がイメージしたのと違うことが現れたなら、自分のビジョン作りというエネルギーの使い方が間違っていた、と反省するだけです。自己反省です。

他人反省という、言い方はありません。

先ほど「一つだけ大きな違いがある」と言いました。

それは、ビジョンというエネルギーの使い方です。

本来エネルギーには、個人的なエネルギーというのは、存在していません。しかし人は、個人的にはそう思うのよ、とそのような表現をします。個人的にイメージしているわけですから、個人的なものしか現れません。個人的とは、結果的という意味です。結果をイメージして結果を出すのですから、初めから失敗です。

自我意識、個人意識から発想したビジョンには、小さい成功と大きな失敗はつきものですが、全我から発想したビジョンには、失敗はないのです。つまり、原因からイメージしたビジョンに間違いはない、ということです。

お釈迦様は「宇宙即我」と言った……

間違い、失敗は、自我意識、個人意識のみに存在するのであって、全体を我と意識している、宇宙の心の人にはないのです。

お釈迦様は「宇宙即我」と言ったそうです。

私も偉そうなことを言える立場ではありませんが、2度ほど目の前で地球が回っているのを、見せられたことがあります。実写版です。

地球上に自分がいて、地球を自分が眺める、とはどういうことなのでしょうか。体から意識が抜けたことは確かです。地球にいて地球を見る、明らかに肉眼の目でないことは事実です。

ではどこに自分の目があるのでしょう。宇宙全体が、我々の真の目なのです。宇宙から地球を見て、分身の自分に送信しているのです。

しかし、この現象は珍しいものではなく、我々人類だけでなく、地球上の魚も鳥もすべてが自分の目でものを見ているわけではないのです。

長い間人間は、目にものが映って見えているのだ、という教えをうのみにして、現在に至っているに過ぎないのです。

3Dのテレビの画像をイメージしてみてください。あれは、テレビの裏側から映し出すとあのように、立体的にものが写し出されるのです。

では人が見ているものはどうして、立体的に見えるのでしょうか。同じです。真の我は、自分が見ている裏にいる、真の自分の目があるのです。信じ難い真実です。

そう考えると矛盾なく、すべては一つに定まります。

夜になると、月が見えます。昼間は眩《まぶ》しいけれど、太陽が見えます。月や太陽の裏には何があるのでしょうか。間切れもなく自分自身が存在しているのです。

お釈迦様が言った「宇宙即我」です。お釈迦様やイエス様は、宇宙の法則を説いてきた、偉大な科学者なのです。

二人の言葉の違いはありますが、内容は同じことを説いている覚者《かくしゃ》なのです。でも中には、何もないものが見えるはずはない、と大きく否定する人がいると思います。否定する人は否定して結構です。いくら否定しても、真実が変わることはありません。未経験者が経験者に文句をつけることはできません。経験すれば、皆同じことを言うはずです。なぜなら、法則、真実は一つだからです。

いつか朽ち果てるもの、永遠に朽ち果てないもの

真実と現実の違い

真実とは実際に存在している原理、原点です。法則とも言いますし、原因、神、空《くう》とも言います。いずれにしても、同じ意味を指す、たった一つが実在している言葉です。真実とは一つ以上は存在しないのです。

しかし、現実は多数存在します。現れ実った世界だからです。

結果である物質のことを現実と言います。たった一つの真実、原因が、無数の現実、結果物質を作っているのです。

何があるから現実があるのか、ということです。「人間は存在しない」と言うと、何をバカなことを言っているのか、現実に、目の前にこんなに大勢の人間が

いるではないか、と結果を見て、あたかも存在しているような言い方をします。

現実に存在する人間は、有限性の結果であって、真実とは無限に存在する、原因のことを意味します。

人間は何によってできているのか、と真実を意識して生きているか、現実に私は人間なのだ、と意識して生きているか、で天と地が分かれているだけなのです。

現実という結果を見るのではなく、真実という原因を見なくてはいけません。

現実とは、いつかは朽ち果てる、有限の結果のことを意味し、真実とは、永久に朽ち果てない、無限原因を意味します。

このように、普段何気なしに使っている、言葉の意味の取り違いで、勘違いのまま世を終えていく人間が、いかに多いかです。勘違いの人生と言います。

これらの多くは、学校教育にも、大きな責任があると言えます。本当に正しいことを教えているのだろうか、正しい答えを出しているのだろうか、大きな疑問です。

正しい教えは正しい結果を表し、間違った教えは間違った結果を表す。法則です。

今、世界の経済はどのような状態にあるのでしょうか。国が倒産する時代です。考え方が逆さまの人間が、何をやっても循環しません。

2012年人類滅亡説が言われますが、まんざら嘘ではないのです。現実に終わってきています。

しかし、現実であって真実ではありません。世界が有限性の結果として現れているのであって、我々が真実から時代を組み上げていくのならば、この架空の現実は消えて、真の永遠の世界に変換するのです。

子や孫に借金を残すまいと、結果である税金だけを上げれば、借金が返る前に、世界経済は破綻します。いいえ、税金を上げたところで、借金は絶対に返すことはできないのです。なぜなら税金という結果で、借金という結果を変えることは、絶対に不可能だからです。

結果で結果を、変えることはできません。法則です。

放射線一つ消せない政府が、多額の借金を消せるはずがないです。

前にも述べましたが、放射性物質やダイオキシンのような汚染物質は、発酵や、発酵菌で除染すれば、多かれ少なかれ消えて変化します。

変化しないと恥をかくから、やらないほうが無難だ、と言う人たちがいます。愚かな性格です。消える、消えないは結果であって、結果を怖がって行動を起こさないのですから、絶対天国には住めません。それでいて真理を勉強して人の役に立ちたい、と思っても、初めから失敗ですから、何をやっても結果は出ません。

失敗を恐れず、試してみる心が、原因の世界であって、結果が思わしくないなら、納得のいくまで、やり続けることが、原因である天の従事者なのです。

こんな話を耳にします。もっと真理を勉強して、多くの人に真理を伝えることが大事だ、と言う人がいます。真理とは、本や人から聞いたり覚えたりしたことを、人に伝えるのではなく、自分が経験したことを人に伝えるものなのです。

経験とは絶対なる結果です。誰がこの結果を否定できるでしょうか。

本や人の話は本当のことという保証はありません。間違ったことを読んだり、聞いたりして人に伝えても、真理とは言えません。真理とは真実の世界です。実践的な世界でもあります。

その本に書かれていることが本当なら、経験として、結果を出しています。その結果をうのみにせず、自分で本当にそうなるのか、試してみることが大事です。

本当にその通りになった分だけ、人に伝えていくのです。自分が経験した結果に間違いはありません。

「あなたの言葉には説得力がある」と言う人がいます。なぜ説得力があるのでしょうか。

それは経験から話しているからです。経験からの言葉は、筋が通って矛盾がありません。なぜ矛盾がないかと言うと、真実は一つだからです。

聞いたり、読んだりした答えには、現実に矛盾が生じます。地位や名誉を持っている、未経験の先生に、経験したことを否定されたら、反論できませんか。経験からものを話さないから、反論できないのです。経験したことを話すのなら、相手がどんなに食ってかかってきても、ありのままを話すだけですから、小細工はいりません。

食ってかかってくる人は、経験者から見れば、この人は知らないのだ、と見抜かれてしまうだけです。真理とは実践的なものなのです。

この世の悪に打ち勝つ心

誰も成し遂げたことのないことをやる、そこに前例はないのです！

この世の悪とは、自我意識、個人意識で動いている人間のことです。

しかし、この世は、99・999％が自我意識ですから、普通の状態では、気になりません。皆、同じことをやっているではないか、と皆と同じことをしているときは、それが常識で、罪の意識は全く生じないのです。

罪が何であるか、気になりません。気にならないまま結果に目を向けていくのですから、よい結果が出るはずはありません。

この世の悪に打ち勝つ、とは真の自分を見出す、ということです。皆がやっているのだから私には関係ない、という心が、悪そのものです。皆が悪いことをすれば、私も悪いことをしてもよい、という意識の中で行動を起こしますから、罪の意識は起きません。

しかし結果として、大きな制裁が返ってくることは、否定できません。悪を出せば、出した人全員に悪が返るのであって、連帯責任だから許される、ということはありません。

99％の人がやっているのだから、私には、関係ないという心ではなく、99％の人がやっていても、ノーと言えるのが悪に打ち勝つ心です。

皆と違う思いを持ち、その思いを行動に移すのは、多くの人から見れば変人ですから、勇気がいります。その勇気そのものが善なのです。

この世の悪に打ち勝つ「善」の心は半端な気持ちでは、成し遂げられません。自分自身の真の経験の積み重ねが、この世の悪に打ち勝つ秘訣なのです。

評論家になっては悟れない。あの人はだめだとか、この人はいいけどあそこが悪いとか、批評する人がいます。余計なお世話です。だめなら、よくなるように行動を起こすことが真理であって、口先だけで評価をすれば反感を買うだけです。

自分でやってみたらどうですか、と尋ねると、これをやるには国会議員にならなければできないとか、弁解の言葉が返ってきます。国会議員になったら何もできません。制約が多すぎます。

いまだかつて重要なことを、国が率先してやった試しがありません。この方法は、認可を取ったのかとか、これは、前例がないからできない、とか言ってやりません。

誰が前例を作るのでしょうか。誰もが成し遂げたことがないのに、前例があるはずがありません。新しい試みに取り組まず、自分の立場と身を守るだけの人が、悟れるはずがあるわけがないのです。その姿を見て、批評する人も、同じ世界の人なのです。福島の放射線の例が物語っています。

音もにおいも振動である！

勘違い

この世は勘違いで成り立っている世界です。従って永続ではありません。この世は幻の世界とも言います。消えゆく定めなのです。

なぜならほとんどは逆さまに捉えて行動をして、世の中を構成しているからです。

例えば高速道路などによく見られる防壁があります。車のエンジンなどの音を外に漏《も》らさず、雑音を減少させる目的でつけられている壁です。

ほとんどの人は、このように音を外に漏らさないためのものと、捉えていると思います。しかし本当は音を外に出さないのではなく、外壁の外側から内側に入る、空気のきめを細かくしているのです。

音というのは振動です。そのものが出す振動数、振動の大きさで音がうるさいとか、静かだねとか、表現しているわけですが、ものが出す振動だけで、音が作られるわけではなく、空《くう》という生命が、その振動に融合しなければ、音として成立しないのです。

物質の振動に対して、空《くう》の振動を細かくすると、粗い振動と細かい振動とが混ざり、防壁の外側から外に伝わる振動数や大きさなどが、減少します。防壁とはエンジン音などの雑音を外壁の外に漏らすのを、防いでいるのではなく、防壁の外側から外に伝わる振動を下げることで、雑音を減少させているのです。防壁とは一種のフィルターの役目であって、音を遮断する壁ではないのです。

車がトンネルの中に入ったとします。トンネル内で、エンジン音などの雑音(振動)が車から出ています。法則は中性ですから、そのエンジン音の振動を止める働きが、法則から発生します。中性力です。

つまり空《くう》が雑音という振動を、止めようとするのです。空《くう》はトンネル内にもトンネル外にも存在しています。トンネル内で発生した振動は、トンネルの外の空《くう》をトンネル内に、壁を通して引き込みます。トンネルの外に接している空気振動は、壁というフィルターを通すことによって、さらに細かい空気振動に変化して、トンネル内に伝わります。

石を投げると遠くに飛びますが、同じ力で砂粒を投げても、同じように遠くには飛びません。石と砂の関係と同じように、空気振動が細かくなった分だけ、雑音は遠くに飛ばないのです。

このことを我々は、音を遮断した、と表現しますが、本当は空気の振動を下げた、と見るほうが正しい見方なのです。

バイクのマフラーの出口から、コンプレッサーでエアーを入れると、エンジン音は減少します。マフラーがエンジン音を消しているのではなく、マフラーは空気を吸い込んでエンジン音を消しているのです。空気で振動を下げているということです。

このようにどんな物質からも、音やにおいが出ているのではなく、振動が出ているのです。音やにおいは振動の結果として、五感に現れるのです。

振動にはプラス振動とマイナス振動があります。よい香り、においを出す振動

勘違い

はプラス振動で、くさいにおいを出す振動は、マイナス振動です。これを好気性、嫌気性とも言います。

くさい嫌気性波動に好気性のプラス波動を混ぜると、くさいにおいは消えてしまいます。なぜならプラスとマイナスで中和するからです。中性になりますと、においません。

よく本物はにおいが消えない、と言われますが、プラス波動にプラス波動を混ぜても、においは消えません。中和、中性にならないからです。

気が合う人合わない人――すべては周波数の違いである！

類は友を呼ぶ

類は友を呼ぶ、類とは何でしょう。

類とは周波数です。同じ波長は同じ画像を映す、ということです。

同じ趣味を持つどうしが集まるわけですが、趣味だけではなく、基本的な考え方が同じである、気が合う、ということです。同じ趣味の仲間でも、気が合う者や合わない者がいます。目的意識の違いです。

例えば、私は飛行機が好きだ、とします。飛行機が好き、というグループの中にも、飛行機は飛べばいいんだ、というグループと、飛行機を細かいところまで凝って作るグループ、飛行機の飛び方を追求するグループ、と3つも4つもに分けられます。同じ飛行機が好きなグループでも、気が合う者どうしが集まり、グループ化しています。

これは目的意識という周波数の違いで、くっついたり、離れたりしているだけで、人を嫌っているのではないのです。あの人は私を嫌っているのよ、と思う前に、あの人と私の目的意識が違うのよ、と思える人が少ないのです。

人を嫌うのでしょうか、目的意識を嫌うのでしょうか。目的の違いが、その人を嫌うのであって、あの人はこういう考えを持っている人なのだ、と思えば、人を嫌うことはないのです。人を嫌いにならなければ、争いはありません。

去る者追わず、と言いますが、これも周波数の違いであって、今まで気が合っておつき合いしていた友達が、いつの間にか、つき合いがなくなってしまった、ということはよくあるパターンだと思います。

あなたを嫌いになったのではなく、目的意識が変わったのです。目的が変われば気が合いませんから、話もなくなります。いくら話し合いをしても返ってくることはありません。目的が違うどうしは同じ画像は作れません。去っていく者を説得しても、説得している人の画像は映せません。無駄です。意識の違いからくっついたり、離れたりしているだけのことです。

我々が、天に意識を向けなければ、天とくっつくことはありません。

天から個人的な者に意識を向けることはありません。天は我々に、早く天に意識を向けるよう願っていると思います。

天は言います、来る者拒まず、去る者追わず、と。

菌、微生物

すべては波動である菌の集団、微生物でできている！

菌と微生物は異質なものなのでしょうか。

菌が集まると微生物と呼び、微生物が集まると人なら人間と呼んでいます。人間の元は微生物であり菌でもあります。

空気を冷やすと水になり、水を冷やすと氷になります。氷と空気は同じものです。微生物と菌の関係もこのようなものです。

しかし、今の学問は菌と微生物は異色なものだと捉えて、分離科学として今日に至ります。

宇宙は無限にして一つに定まっています。

人間の体の中の血管も多数にして一本に定まっています。途中で行き止まりの血管はありません。大きさ、波動の違いはあるものの、役目は皆必要に応じた生命なのです。

微生物が動いて働いていることを波動と言います。

菌が構成して微生物を作っているのですから、波動は菌でもあるのです。空《くう》は形をとっていない菌で、その菌が形をとると、微生物と言い、微生物が形をとると物質と呼んでいるに過ぎないのです。従って、空《くう》と物質は同じものであって、密度が違うだけなのです。

微生物というと、顕微鏡などで見る、小さくチョコチョコ動いている生き物を思い浮かべる人が多いと思いますが、この世の物質、非物質（空《くう》）すべてが菌、微生物なのです。鉄板でさえ、特殊な顕微鏡で見るとミミズが、のたうちまわっているように見えるそうです。

野菜や植物の葉などを搾《しぼ》って顕微鏡で見ると、微生物の集団です。野菜を食べているのか、微生物を食べているのかと言いたいです。土壌も糞尿も顕微鏡で見ると一目瞭然です。

この世はすべて微生物でできている、波動、菌の集団なのです。

すべて、ですから鉱物も同じことです。

石を粉末にして水に溶かして見ると同じように見えます。波動の世界とは、特殊な場所やものがあるのではなく、この世の中すべてが波動であり、微生物、菌の世界なのです。

先ほども言いましたが、波動には、プラス波動とマイナス波動があります。プラス波動とは、放出サイクルでものを分解する波動です。マイナス波動とは、吸引サイクルで、物質として作り上げていく波動です。

水が氷になるのも、サイクルで決定します。気温が零度になると水が氷になると、誰もが思っています。しかし、サイクルを変えると、常温で水が氷になります。夏場の常温30度でも水が氷に変化します。

気圧との関係がありますから、いつでもいい、というわけにはいきません。自然界では、夏場に起きやすい、ヒョウやアラレなどが代表的な例です。

気圧サイクルを合わすと、テーブルの上に置いたコップの中に注いだ水が氷になります。外気温27～28度でのことです。零度にならないと、氷ができない、という見方は間違っています。

またその反対に、零度以下のマイナスでも、波動を変えると解凍を始めます。マイナス解凍です。実際に実用化しています。

このように、ものが凍ったり、解凍したりするのは、温度ではなく振動サイクルで決定しているのです。振動サイクルを応用して、浄化槽などに設けると、糞尿の形態やにおいまで消してしまいます。

また重金属のような汚染物質も減少して、クリーンな浄化槽に変わります。機械や設定が狂わなければ、壊れるまで何十年も使用できます。このように、波動の調整だけで、すべての物質が変化するのです。

発電機

人間もすべての物質も電気でできている！

この世に発電機というものはあるのだろうか、と思うことがあります。なぜなら、電気というものは、作るのではなく、集めてくるものだからです。

この世はすべて電気でできているのです。電気のことを波動とも言います。波動は微生物でもあります。微生物が集まって人間を構成しています。

人間とは、電気でできているロボットのようなものなのです。

空《くう》が電気であれば、すべての物質は電気でできていることになります。宇宙は電気現象で成り立っているのです。

お腹が空いたから食事にしよう、という言い方と、電気が減ってきたから充電にしよう、という言い方の違いであって、意味は同じことです。

土に電気テスターを差し込むと、電圧が表示されます。プラスの端子を土壌の上のほうに差し込み、マイナスの端子を土壌の下のほうに差し込むと、電圧はさらに大きく表示されます。そこに、水を注ぐとさらに大きく数字が表示されます。土壌菌という微生物も電気なのです。

水耕栽培で水に3Vの電圧を与えて、その与えた水で植物を育てると、肥料がなくても成長していきます。

電気は肥料でもあるのです。減らない肥料です。

電圧だけですから、電気消耗はほとんどないのです。電圧調整で、肥料が多い、少ないと調整できます。

逆も真なりで、水からも電気はいくらでも調達できます。

ホームセンターで売っている模型のモーターならいとも簡単に、水で回転します。海水なら、ブンブン回ります。

大型モーターでも同じことが言えます。端子をたくさんつけることで、回転は調整できます。

そうなると、バッテリーに充電して、そこからモーターを回すといった、間接的手段ではなく、海そのものがバッテリーで、バッテリーの中で船が動いている、ということが可能になります。

しかし、ここで大きな問題は、電気を集めてくる端子の改善、選択にあります。絶対条件です。

なぜなら条件に合わない端子を使えば、海の汚染に繋がります。二次公害を引き起こしては、何の意味もありません。汚染は一番重要なポイントです。無視はできません。

このように、すべてが電気ですから、上手に電気を集めて使えば永久電気、フリーエネルギーです。

自然界で空気を上手に集めて、電気を作っているお方がいます。夏場によく太鼓を持って現れます。そうです、雷です。

雷は磁石もコイルもなく、何万ボルトでも電気を作ります。電気を作っているのではなく、電気を集めているのです。電気という名の空気です。

空気は電気そのものなのです。

空気は無限供給ですから、なくなることはありません。無害のフリーエネルギーなのです。

これからは、電気を作る、という考え方から、電気は集めてくるもの、という考え方が重要になってきます。真理です。

このような考え方が実用化されるなら、消耗がなく、公害も出ません。危険な原子力発電や公害を出す火力発電に頼ることもなくなります。

危険で危ないからやめろ、と言う前に、人類皆で安全で消耗がない集電気の開発に力を注いだほうが、税金を上げるより人類のためにも、借金の返済にもなると思います。

害を出す、とは出すのですから、放出サイクルなのです。集めてくるとは、引っ張ってくるのですから、吸引サイクルなのです。

出して使うのだから害が出るのです。入れて使うのだから出ないのです。

真理とは、初めのスタートの時点で、結果は出ているのです。なぜなら、サイクルが決定権を選択するからです。

表と裏

善と悪を混ぜて発酵させれば、正常サイクルになる！

表と裏というと、裏街道とはいかがわしい世界というイメージがあると思います。

表街道、両手を振って歩こう、と言うと世間に対してやましいことがなく、よいイメージがあります。表と裏とは、表裏一体と言いまして同じことなのです。酸とアルカリの関係みたいなものです。役目としては違いがありますが、二つが一つにならなければ、物質は存在できません。

表と裏というように、分離的に見ると、善悪が存在しますが、表裏一体という一体感でものを捉えると、善悪は存在しません。善あるのみです。

なぜなら、善と悪を混ぜて発酵させたらどうなるでしょう。発酵とは法則です。善とは正常サイクルです。悪とは異常サイクルです。大宇宙は絶対なる善で存在しています。つまり正常サイクルに変化するのです。すべては正常に定まっています。発酵にかければ、すべては正常サイクルに定まる、ということです。

放射性セシウムやダイオキシン、重金属などの汚染物質を正常菌と混ぜて圧をかけ、発酵させれば汚染物質が減少し、変化して消えてしまうようなものです。

人間は分離でものを見る癖がありますが、一体感で見ることが真理的なものの見方なのです。

単品に圧をかけても、その単品以外の性質には変化しません。毒に圧をかければ、猛毒になります。飲み水に圧をかければ、さらによい状態の水に変化します。正常サイクルの水の中に農薬を適量入れて、圧をかけますと、農薬の効能はてき面に減少します。

メチルアルコールとエチルアルコールというアルコール類があります。この二つは同じ性質ではなく、全く違った性質を持つものです。

メチルは、酒の代わりに飲んだら目が潰れてしまった、というように工業用アルコールです。工業用アルコールに圧をかければ、さらに毒性が増すのは当然です。

エチルは殺菌、消毒用で、医療の消毒などに使っています。人体に影響のないものに圧をかけても、人体に影響が出る毒性には変化しません。

一文字違っただけで、大きく左右しますので、その単品の性質を理解して使用しないと大変なことになります。赤信号、皆で渡れば怖くない、という文句が流《は》行《や》りました。悪も大勢で行うともっともらしく聞こえ、長持ちします。しかし悪は悪です。異常サイクルです。異常サイクルは、必ず正常サイクルにて清算される定めなのです。

悪が栄えた試しなし、です。

悪口を言われると、すぐ反論しますが、悪口を言ったり嘘をついて悪いことをしている者は、放っとおけばいいのです。いつかは崩れ去ります。反論する時間を役に立つことの時間に使ったほうが世の中のためになります。

悪口や反論からは、何も生まれません。反感を買うだけです。このように、片方だけを見ていると、毒が発生したり、腹が立ったりしますが、一体感で捉えていれば、そんなに心配するようなものではないのです。

命とりにはならないためには、「欲望がない」だけでよい！

騙す人、騙される人

人を騙す人は悪い人です。

しかし、騙される人はもっと悪い人です。と言うと騙された人に怒られますかね。

老人相手に詐欺を働く話を耳にします。おばあちゃん、ここに投資すると、今の倍になってお金が還《かえ》ってくるんだよ、と言葉巧みに話を持ちかけ、詐欺を働く集団がいます。詐欺ですから、初めから倍どころか、お金にならないことを承知で話を持ちかけます。

そこで、詐欺に遭う人は2、3点大きなミスを犯します。犯すというより気がつかないのです。

まずそんないい話があるなら、何の関係もない人に話して、自分の取り分を人に分け与えることはないです。

第二に、世間一般論から大きく内容がかけ離れていることです。専門のプロがやっても、利益が出にくいことで、何も知らない素人が利益を出せるはずはないに等しいからです。筋が通っていない内容の話です。

第三に欲望です。騙される人は必ず欲望を持っています。この欲望が騙される一番大きな原因になります。本人に欲望がなければ、話の内容におかしな点があることに気づくはずです。自分の欲望が冷静な判断を壊し、詐欺に遭うパターンがほとんどです。

お釈迦様が、色欲物欲を捨てなさい、と言ったのも、詐欺に遭わんためのことかもしれません。

日本昔話の中に、「かちかち山」という物語があります。その中で騙されると命とりになるよ、と冒頭に書いてあります。おじいさんが、嘘つきの悪い狸を捕まえてきて、後でお仕置きをしようと紐で縛って吊るしておきました。そこにおばあさんが来て何やら狸と会話をし、狸の口車に乗せられて、縛ってあった狸の紐を解いてあげました。自由になった狸はおばあさんを殺して味噌汁の中に入れ、ババ汁にしてしまいました。帰ってきたおじいさんに、そのババ汁を飲ませ、どうだ、うまいか、と言って逃げていった、と書いてあります。騙されると命とりになる、という教えです。

事実、老後の蓄えを騙し取られた人で、自殺した方もいます。詐欺師とは、間接殺人者みたいなものです。騙されないためには、自分の欲望を消し、冷静な判断を持つことです。

自分にも一度そうゆう電話が鳴りました。

お宅はエコロジーをやっている会社ですよね、と話を持ちかけてきます。そうです、と答えました。実は、明後日芸能人の何々さんが、時間がとれたので一緒に取材に伺ってもよろしいですか、と丁寧な言葉遣いで話してきました。いいですよ、と答えました。すると芸能人の何々さんに謝礼をしなければなりません、と切り出してきました。金を払うのなら取材は断ると答えたら、今までの丁寧な口調から一転、お宅ずいぶん自信があるね、と棘のある声に変わったのです。こいつ、振り込め詐欺だ、すぐ気づきました。

お金をもらって取材を受けるのなら話はわかりますが、お金を払って取材を受ける人はいません。有名な芸能人に宣伝してもらえば売上が伸びるだろう、という欲望を餌にした内容です。

私が欲望を持っていたなら話に乗ったでしょう。大きな欲望がなかったから、冷静な判断ができたと思います。騙される原因とは、欲望以外の何物でもないのです。

条件に圧をかければ、発酵して物が現れる！

菌、微生物の採取

菌や微生物の集め方に触れてみたいと思います。

宇宙には微生物しか存在しないのですから、菌や微生物の売買は成り立ちません。微生物というものは、どこかで買ってきて使うものではなく、集めて使うものです。麹菌という菌がいます。米麹です。

木枠で弁当箱くらいの箱を作ります。その箱に炊き立てのご飯でなく、冷えたご飯を入れます。ご飯にゴミや虫が入らないように、和紙で蓋《ふた》をします。箱の両サイドから、ゴミや虫が入らないようにゴム輪やテープなどで和紙を留めます。

近くの林に行き、その弁当箱を土に埋めます。地面と蓋の和紙が同じ高さのところまで埋めます。大した深さでないので、手で掘っても簡単です。埋めた箱は蓋の和紙の部分だけ、白く出ています。その白く出ている和紙の蓋の上に周りに落ちている落ち葉や土を被せます。

1週間くらいして箱を掘り出し、和紙の蓋を取ると、米に真白く麹の花が咲いています。麹菌が集まってきたということです。条件を置いて圧をかけると、条件に従った菌が集まってくるということです。

このように菌を購入しなくても、元の菌はいくらでも集めることができるのです。70リッターくらいのバケツに水を入れ、そこに畑の土、発酵が終わった鶏糞、軽い石、重たい石を台所で使う水きりの袋（網ではない）に入れ、それらをバケツの水の中に入れて吊るします。バケツの底から金魚の水槽に使うエアーポンプで空気を送ります。バケツの中の水に微生物が溶け込み、泡が発生して変色が始まります。泡が消えて水に照りが出ます。においが消えて、照りが増したら土壌菌液の完成です。

薄めてその畑の作物にかけても、動物に飲ませても効果があります。菌や微生物は、条件とブレンドして、圧をかけるとどんなものにも変化する生き物なのです。

ラーメン屋さんが、このラーメンはうまい、と圧をかけると、そのラーメンを食べに人は集まってきます。目に見えない菌を集めるのも、目に見える人を集めるのも、同じメカニズムなのです。

条件に圧をかければ発酵して、ものが現れるだけのことなのです。

24時間風呂

悪玉菌とはサイクルが逆の状態、サイクルを戻せば善玉菌になる

24時間風呂は悪玉菌が増えてだめだ、という人がいます。

悪玉菌という菌が存在しているわけではなく、放出サイクルに変わっただけなのです。放出サイクルのことを悪玉菌、吸引サイクルのことを善玉菌、と名をつけて呼んでいるだけです。

人間という物質も吸引サイクルで存在していますので、放出サイクルになると肉体は崩壊します。病気を引き起こすからです。24時間風呂システムのほとんどは、放出サイクルで構成されていますので、悪玉菌が繁殖することになります。

しかし湯船からお湯を引き込む口に、吸引フィルターをつけると放出サイクル

になりませんから、悪玉菌は発生しないのです。

人間の体の中にも悪玉菌がいて、それが悪さをする、と言いますが、自分の持っている意識が、自然の法則と反対の考え方をしていることで、意識サイクルが放出化したのです。

自分の意識を法則に沿わせることによって、サイクルが正常化され病気は治ります。正常サイクルの中に悪玉菌は存在できない、ということです。人間界が正常化すれば、悪玉菌という人も病気もなくなります。地球の救済、存続は意識革命以外できないのです。

推進力とは、気圧の違いが生み出すもの！

プロペラ、ジェットエンジン

プロペラというと飛行機の先端についている部品で、飛行機を引っ張っていく役目の部品です。

エンジンをかけ、プロペラを回すと、プロペラの後方から勢いよく、風を切って飛行機を押し出しているのを感じます。人間もプロペラの後ろに立っていると吹き飛ばされます。しかし風が出ている、というのは結果であって、原因ではありません。プロペラの先端から空気を吸い込んで、後方に噴き出しているだけで、噴き出している風は結果です。

原因は空気を吸い込んでいる、プロペラの先端にあります。噴き出している後方に手を出しますと、すごい風の力ですから、噴き出す風の力で推進力を得る、と錯覚しても仕方がない現実です。しかし真実ではありません。

プロペラを境に、先端の吸い込む力と吐き出される後方の力があります。先端の力と後方の力の大きな違いは、気圧にあります。先端の気圧が高く、後方の気圧は低いのです。

法則は低いほうから高いほうに移動します。五感的には風が強いから前に進む、と思いがちですが、目に見えない真実は気圧の違いが推進力を生む、という見解になります。

寒いとは、空気のきめが粗いこと

布団、服

寒いと人はたくさん重ね着します。厚手の布団を出して寝ます。当たり前のことです。

寒いと体が冷やされて、体温が下がる、と誰もが思いませんか。本当に体温が取られるのでしょうか。温度を取られて体温が下がるのではなく、体温が作られないのです。

人間は36度という体温を維持しているのではなく、常に36度という体温を作り続けているのです。

寒いとよく突き刺すような痛さの寒さだ、という表現をします。空気の粒子が粗いのです。人間は鼻で空気を吸い、圧を上げ、皮膚呼吸で生きています。空気のきめが粗いと皮膚呼吸ができないのです。

肌と空気が新陳代謝を起こせなければ、36度という体温を作ることができず、低温症で死んでしまいます。凍死です。

厚手の服を着ると、その服がフィルターの代わりになり、空気の粒子を細かくして皮膚に到達させるため、皮膚呼吸ができるのです。寒さできめが粗くなった空気を、きめの細かい空気に変換する役目が厚手の服や布団で、温度を逃がさないために、厚手の服や布団を着たり、かけたりしているのではないのです。

微生物の波動が味を作っている

砂糖、塩

砂糖といえば甘いもの、塩といえばショッパイもの、と思います。

とんでもない思い違いです。砂糖、塩を分析してもさほどのミネラルは出てこないから、料理の砂糖、塩加減くらいにしか思っていない人のほうが多いと思います。

しかし、砂糖、塩を添加すると料理にコクが出てきます。なぜでしょう。

砂糖、塩は相手の微生物を増やす能力を持っているのです。

素材だけの味では「味けない」のは微生物が少ないからです。微生物波動が味を作る原因になるからです。

砂糖、塩はプラス、マイナスの関係でもあります。砂糖はプラス波動を持ち、塩はマイナス波動を持っています。砂糖、塩は相手を選びません。どんな素材にも対応します。だから調味料の王様と呼ばれているのです。

海の王妃に山の王です。二つを合わせると地球になります。塩は形を作る要素、砂糖は動かす要素です。もちろん砂糖の中にもアルカリを有し、塩の中にもプラスを有しています。

今の塩の精製法では、プラスの菌が取られてしまっているのです。塩にプラス菌が有しているなら、塩分を多少多く体が摂取しても、汗や小便で体の外に出します。塩からプラス菌を取ってしまうから、動かす力がないので、体に蓄積していくのです。だから人間が塩分控えめと調整しなければならないのです。

本来は塩自身が動ける能力を持っているのです。砂糖も同じことです。塩、砂糖にどうして殺菌効力があるか、というのは相手の微生物を増やせるからです。微生物や菌が増えることを殺菌と言うのです。

バイ菌の状態が悪さをするのであって、そのバイ菌を細菌に変化させれば悪さをしません。

マクロのバイ菌からミクロの細菌に変化させることを殺菌と呼んでいます。塩には殺菌能力があるのだよ、とは塩には微生物の増殖能力があるのだよ、という意味なのです。

砂糖も同じことです。本来砂糖や塩は空気を引き付ける力を持っています。砂糖や塩をお皿の上に置き、外に出して置くと、固まります。空気を吸い込んでいるからです。固まらない砂糖や塩は、本来の役目を持っていないのです。

昔は水分を吸って固まった塩は、火にかけて砕いて使ったものです。旅行などでしばらく家を空けていたら、植木鉢の花が水切れで萎《しな》びていた、という経験はありませんか。

植木鉢に水を与えて、その後鉢の上に砂糖を置いておくと、しばらく水を与えなくても花は萎《しお》れません。旅行などしばらく家を空けるときは効果があります。家にいるときは水を与えたほうがはるかによいです。

固まらない砂糖は、空気や水分を引き付けないので、効果はありません。人間の食事も同じことです。砂糖、塩が優れているのは、生命である空気を呼び込み、微生物を増殖させる能力を持っているので優れているのです。だから王様なのです。

先ほど、砂糖は甘く、塩はショッパイと言いましたが、塩も超ミクロにすると全くショッパミがなくなります。パウダーの煙の状態です。

五感の味とは、その素材のきめの状態でも変わるということです。すべては波動で成り立っている、ということです。

真理

宇宙の正常なサイクルのことを「真理」という

真理とは「どうゆうもの」ですか、とかもっと真理を勉強しないと、とか聞きます。

真理とは、日常生活そのものです。我々は勉強をしないと、生きていられないわけではなく、生まれてくる者、死んでいく者、と日常生活の中に存在するのです。

真理と学問とは無関係です。学習して得るものではなく、生活の中で感じるものです。日常生活そのものだからです。

我々は誰もが幸せになりたい、幸せでいたい、と思って生きています。幸せになりたいなら、真理に生きることしかないのです。真理とは宇宙の正常なサイクルなのです。

宇宙、自然には不幸は存在しません。だから宇宙意識を持て、というのです。しかし宇宙サイクルを知らなくても、人は生きて生活しているのです。

では、宇宙サイクルを知っている人と、知らない人とではどこが違うのでしょう。知らないで生きている人には、不幸がつきまとってきます。正常なサイクルに逆らっているのだから、不幸界に存在しているのです。

正常なサイクルには、幸福しか存在しません。今の人間界のほとんどは、逆サイクルで生活しています。逆サイクルの意識でいろいろな業種につき、生活を営んでいます。

現在正常に循環している業種があると思いますか。みんな異常のサイクルです。農業界は農薬尽くしで、汚染し続けています。ゴルフ場とて例外ではありません。工業界でも排気ガスや垂れ流し汚染、農薬漬けの野菜を摂取、汚い空気を吸って壊れた体をなかなか治すことのできない医療界、これらの結果でおさめる経済界、これが現状です。

この状態で幸福が舞い降りると思いますか？

降りるわけがありません。それでも我々は生きて生活しているのです。

真理とは、自分が正しいと疑わずに行動する「心、意識」なのです。人は誰かを騙してお金を奪おうと思うと、奪うための行動に専念します。奪おうと思う心が、行動化したのです。

お金を騙し取った、という結果ではなく、何々をしようと思う「心」が、行動化するという意識行動のことなのです。

人を騙してお金を奪うのは悪いことです。真理とは、人を騙してお金を奪うのがよいことなのか、悪いことなのか、という結果ではなく、思ったことは現れる、意識したことは実現する、という原因の世界なのです。

人を騙して物を奪ったり、人を傷つけたりすることは絶対にやってはいけないことです。ここで言いたいのは、やっていいこと、やってはいけないこと、という道徳的判断ではないのです。犯せば法に罰せられることを知っていても、道徳的によくないことを知っていても、お金を奪おう、あいつだけは許せない、と思う心が行動に出るのです。

人のためになることをする、という一方的な見方ではなく、結果としてよいことも、悪いことも、思いのエネルギーが結果を生むことなのです。

想念は実現の母、と言います。

もちろんよい想念はよい結果を生み出し、悪い想念は、悪い結果を生み出します。大事な原点の選択です。

よい想念とは、人のためになることを指すのではないのです。私は全体の中の一員であって、個人的な人ではない、私とあなた方とは一体であって、他人的存在ではない、という思いから行動をすることを、真の真理、正しい想念と言います。

私は私であっておまえたちとは違う、という分離感から出る行動をすることを、偽りの真理、間違った想念と言います。

この想念が正と偽、幸福と不幸をもたらす、原点、スタートの選択肢だからです。

真理とは、原点、スタートの時点で、結果は出ているのです。その者の心が持つ選択、動機で初めから決定しているのです。だから宇宙意識を持つこと、宇宙一体感を持ち続けることが、幸福を生み出し続けることなのです。天国と言います。

人のためと言いながら、個人的動機の心でどんなに仕事をしても、小さな結果、有限性にしか変化はしません。地獄と言います。天国と地獄は真理の中に存在しているのです。

楽しいことばかりなら、法則そのもの！

真の自分の実体

真の自分は空気です、と言って納得する人はいないと思います。

自分の肉体は、見ることも触ることもできるのに対して、空気は見ることも触ることもできません。何もないのに、それが自分の実体なのだ、と言っても理解できることではないでしょう。

しかし、理解できる、できないにかかわらず、真実であることには変わりません。理解できるまで輪廻は繰り返されます。

我々は空気を吸って生きているのでしょうか、生きている空気を吸って生かされているのでしょうか。

大きな意識の相違です。自分がどの立場で物事を捉えて行動するか、で結果が大きく変わるのです。

宇宙には「私」しかいない、私、一人が宇宙に存在しているだけなのだ、とイメージして見てください。

少しスケールを落として、地球自身にしましょう。

私は地球なのだ、地球そのものが私だ、とイメージします。私の体の中は無数の細胞で構成されています、と。その細胞は目に見える物質です。何十億人という人類、動物類、植物類、鉱物類、と様々な形で「私」という地球に存在しているのです。

同じ細胞どうしは目に見えますが、その細胞が自分の住んでいる地球を見ることはできません。自分が立っている地球のほんの一部しか、肉眼の目では確認できません。目で見えるものはすべて結果であって、実在する原因ではないのです。

私が地球であれば、私の体の中で、戦争や争いが起こっているのです。

地球であるあなたは、この実態をどう思いますか。私と地球が分離している意識だから感じないのです。私と地球が一体なら、他人事《ひとごと》ではありません。

地球である私にとって、人類70億人は私の体の中の細胞なのです。私の体の中で細胞どうしが争えば、私は苦痛です。

宇宙から見れば、地球は宇宙の細胞です。地球から人類を見れば、人類は地球の細胞です。

この真実を信じろ、と言っても、信じられない、と言うならば仕方ないです。真実とは、たった一つの宇宙法則です。宇宙が一つであるように、空《くう》である私も一人です。

人間の数だけ「命」があるのではない、空《くう》という私一人しかいないのです。私という生命が物質細胞を生かしているのです。大宇宙が私です。私を信じられないなら、それでいいです。

自分の人生の結果を見て、本当か、嘘かを判断するといいです。いやなことばかり続くのなら、偽りの意識です。楽しいことが続くなら、法則そのものです。人の話を真に受けるのではなく、自分の経験、体験によって判断してみてください。

私を信じろ、と私は強制しません、と法則は申しています。すべては自己判断です。宇宙に一人しかいない我は、誰に判断を仰ぐのでしょう。自己判断という言葉はあっても、他人判断という言葉はありません。

保険

宇宙法則という途轍もない保険に入りましょう！

火災保険、癌保険、失業保険、と保険の種類はたくさんあります。

保険に入ったから安心だ、と言いますが、保険に入って安心するのは、入った当事者ではなく、本人にかかわる隣人たちです。

癌になって安心する人はいません。癌になった本人は、死ぬのではないか、と不安でいっぱいです。入院治療費は、本人以外の人が用意することがほとんどだと思います。本人にとっては、生死を分ける世界ですから、入院治療費どころではありません。

そんなことは頭にないと思います。接触事故や人身事故など、保険のほとんどは相手のための保障費として使われます。

しかし、真の保険は自分のために使われます。おまけに掛け金がないのです。その保障は永久に続く途轍もない保障です。その保険に入る条件はたった一つです。

それは、自分自身が、法則という軌道にのっとって日常生活を送ることなのです。

宇宙法則に、不幸とか損した、事故を起こして相手に傷をつけた、という世界は存在しません。絶対なる善があるのみです。

またこの保険は、自分だけの保障ではなく、全体によい影響を与える、という途方もない保険です。こんなすごい保険にセールスマンはいません。印鑑も手続き用紙も不要です。入会するには、自分自身が法則を認めるだけです。

非常に簡単な手続きですが、入会する人が非常に少ないのです。

リーダー

自意識で運営する経済は潰れて当たり前です！

リーダーになりなさい。リーダーになると、人にこき使われなくて済むわよ、と言います。

リーダーとは人の上に立つ指導者です。指導者はすべてを理解していなければなりません。すべての理解とは何でしょう。この世の物質的なことではなく、物質を構成していくメカニズムのことです。

結果はこのように組み上がっていく、ということを知っているのなら、大きな失敗はありません。法則という、すべてを組み上げていく原理を理解していないから、失敗があるのです。

今の日本の経済はどのような状態でしょうか。

今の結果で国民は満足しているのでしょうか。

国をつかさどるリーダーがいけないのでしょうか。

リーダーが法則を知らないことがいけないのでしょうか。

法則を知らない人に、政権を譲っても不満という結果は変わりません。結果次元でいくら知恵を絞っても、よい結果は絶対に得られません。国を安定させるには、考え方を原点に変換するしかないのです。

意識革命です。

今の心で、もがけばもがくほど、地獄に落ちます。

世界中のリーダーが、自我意識で運営しているのですから、世界経済は見た通りです。世界経済は破綻すると思います。

もし、今のままの考え方で、経済が復活するなら、地球を大きな天変地異が待っていると思います。

天変地異だけは絶対に避けなくてはいけません。

子や孫に残すのは、財や名誉ではなく、大地と原理です。

地球の存続は、意識革命しかないのです。

ダイエット

カロリーが高い、低いとは、空気を呼び込むか否かということ！

太った人は、もっとダイエットしてスマートになりなさい、と言われます。結論は、痩せることです。痩せるためにはどうすればよいか、と聞かれたらどのように答えますか。簡単なのは食べないことです。しかし食べないわけにはいきません。適度の食事では異常に太ることはないのですが、毎回お腹いっぱい食べるか、四六時中口を動かしている人は、段々お腹がでてきます。

なぜ食べ過ぎると太るのでしょうか。食べ過ぎると体内での発酵時間が長くなります。発酵とは外気を内に取り入れる過程を意味します。

空気が物質を作るわけですから、発酵時間が長いと外気吸収時間も長くなります。吸収時間が長ければ、肉をつくる条件が多くなるのですから、太ってきます。

腹持ちのよい食品ほど、食べ過ぎると太ります。お肉１００ｇと消化のよい野菜１００ｇを食べたのでは、太り方は違ってきます。物質１００ｇ食べたから１００ｇ体重が増えるわけではないのです。体重が増える増えないは発酵時間が左右しているのです。よくテレビなどで大食いの番組があります。あれだけ食べてなぜ太らないのか、と疑問に思われると思います。食物を異常に詰め込みますので、発酵するスペースが無いのです。おまけに短時間で体外に糞便となって出てしまいます。食べた量に対して、発酵時間が極端に短いのです。

常に胃袋をいっぱいにして胃を鍛えている人に太った人はいません。胃に余裕をもって大食いをする人が太るのです。なぜなら発酵スペースが有るからです。

糖尿病食のように、野菜などを一度湯がいて調理することで発酵時間が短縮されます。カロリーが低いから痩せるのではなく、カロリーが低いと発酵時間も短くなるのです。発酵時間が短くなると、体内に取り入れる空気の量も少なくなる。空気が物質を作るわけですから、その結果ダイエットになるのです。カロリーの高い低いは空気を呼び込む条件なのです。

70億人の目的が一つならば……すべての争いは目的の違い！

目的意識

人はどんな人も自分の目的に向かって生きています。

幼い子に「大きくなったら何になりたい」と聞くと、パン屋さん、お花屋さん、といろいろ自分の夢を話します。

もちろん幼いときに語った通りパン屋さん、お花屋さん、になるということではないですが、人はどなたでも、夢や希望を持って、それに向かって生きているのです。私は夢も希望もないわ、と言う人にも何かしらのものがあるのです。

夢も希望もないなら、死んだほうがいいよ、と言われて死ぬ人はいません。本当に夢も希望も失った人は、死を選びます。自殺です。他人から死ねと言われて、自殺する人はいないと思います。

昔の切腹ですら、目的意識で腹を切るのです。罪を犯した者に切腹を申し渡す、という罪の清算という目的があります。

意見の食い違いで喧嘩になった、と言いますが、意見の食い違いではなく、二人の目的の違いで喧嘩になるのです。すべての争いは、目的の相違です。

国会においても、自分たちの目的が違うから、野党と与党で争うのです。国民が円滑に営む、という一つの目的であれば、争うこともなく、与党、野党という存在すら不要です。党の数だけ目的意識の違いがあるのですから、円滑にまとまることはありません。目的意識が違うだけで多額の税金を損失するのです。

あの人は空気が読めないとか、意味わかんないとか、話す人がいます。人の話がわからない、というのは自分と相手の目的が違うのです。お互い方向の違う目的で、目的を達成するまでのルートが同じわけがないのです。

お互い違う道の上に立って、その場所から見える風景の話をしても、見えている世界が違うのですから、話が合うはずがありません。

お互い同じ目的の中、同じ道の上で見えているものが同じであれば、話は合います。話している意味がわからないとは、あなたの目的がわからない、ということです。

真理の道は一本です。70億人の目的が一つであれば、道のりも一つです。一本の道で、目的が同じであれば、争いや不満はないのです。各々が違う目的を持つから、問題が起こるのです。

同じ目的でも、信仰の違いで意見の相違が出ます。浅い信仰は手前しか見えませんから、融通が利きません。深い信仰は応用が利きますから、柔軟性にとんでいます。いずれにしても目的の位置が違うだけです。自分がいる位置から、自分より先にいる人の道のりは見えません。

見てきた経験者とまだ見ていない未経験者が話しても、話が合わないのは当然です。未経験者が経験者に経験してきたことを、素直に聞くことができれば、未経験者は、まだ見ぬ道を容易に歩むことができるのですが、自分が見えていないものですから、未経験者は経験者に食ってかかってきます。そうゆうときは放っておけば一本道ですから、いつかは経験し、理解するのです。

真理の道とは、素直性が大事なのです。

吸引型の正常サイクルか、放出型の異常サイクルか

ヒートショック

テレビを見ていると、ヒートショックで脳梗塞《のうこうそく》などを起こす人が増えている、と報道されていました。

お風呂で温まって、その後、冷えた部屋で着替えたりすると、温度差で血圧が下がり、脳梗塞や死を招くことを「ヒートショック」と呼ぶそうです。温度差で起こる現象だと報じていました。

しかしこれは温度差で起こるのでなく、体内から酸素が放出する結果、起こる現象なのです。

温度差があるから酸素が放出するのだから同じではないか、と言われるかもし

れません。確かに普通のお風呂ではそう言えます。

お湯にも、吸引型、放出型とあります。放出型のお風呂に長く浸かっていると逆上《のぼ》せます。放出サイクルで体が温まりますから、酸素が体から出やすいのです。ましてや温度差があれば、さらに酸素が放出しますから、脳梗塞や死を招いてもおかしくないのです。

しかし、吸引型のお湯に変えると、体から酸素が出にくくなります。長風呂でも、逆上《のぼ》せづらい現象に変わります。

温度差で脳梗塞や死を招くことが少なくなります。お風呂一つとっても、放出型と吸引型では大きな結果の違いが出ます。温度差でこうなるのだ、と決めつけるのは、いかがなものかと思います。すべては、目的の方向によって、変化しているのです。

野生の動物、飼育の動物。野生の動物と飼育されている動物では、どこが違うのでしょうか。環境が違います。これは当たり前のことです。

一番大きな違いは、食べ物、飲み物です。野生の牛も飼育の牛も、同じ草を食べて、何が違うの、と思いますが、放牧で育てている牛は別ですが、野生の牛は放牧の牛と同じ、土に生えている草を食しています。

しかし飼育されている牛は干し草を食べています。片方は土から生えている草を直接食べ、片方は土から切り離した草を食べています。サイクルに大きな違いがあります。

草も土に生えているときは、吸引サイクルで存在し、土から切り離されたときから、放出サイクルに変わります。

水も同じで、流れている川の水は吸引力で、溜めた水は放出力です。吸引サイクルは物質に酸素を吸引してきますが、放出サイクルは物質から酸素が出ていってしまいます。酸欠そのものが病気ですから、野生と飼育では病気になる確率は歴然としています。

しかし、干し草が悪いのではなく、サイクルが悪いのです。干し草もサイクルを変えれば、最高の飼料に変化するのです。

水も同じです。原因不明の病気のほとんどは、このサイクル違いで起きるものと思います。豚も鳥も同じことが言えると思います。

人間の場合は大きく違いがあります。

米も野菜も収穫したら放出サイクルに変わりますが、米も大豆も収穫して、そのまま食べません。米は釜で圧をかけて、サイクルを正常にして食べます。大豆も発酵で味噌に変え、キュウリ、ナス、大根などは、漬物にして食べます。肉や魚も火にかけてサイクルを変えて食べます。昔の知恵です。

しかし、今、生で食べる人が多くなっています。人間の病気は増えたのでしょうか、減ったのでしょうか。

養殖の魚の餌は、正しいサイクルなのでしょうか。牛の飼育でも餌の異常は肉質の異常です。霜降りの肉は異常細胞です。生かさず殺さずの飼育です。異常細胞は焼くと消えるのでしょうか。

サイクルの違いは、肉体にすぐ出ません。何年、何十年して現れます。すぐ症状に出ないので、意識しないのです。ポストハーベスト、遺伝子の組み換え作物、種なし果物のホルモン漬けなど、見回せば恐ろしいものでいっぱいです。

しかしこれらは飼育・生産する人だけに、責任があるわけではなく、消費する私たちにも責任があるのです。

虫がついているものはだめ、種のないブドウは食べやすい、霜降りの肉はおいしい、と高いお金を出してまで買うから、生産者は生産するのです。生産者に文句をつけるより、買わなければよいのです。

異常サイクルは消費せず、正常サイクルを選んで買えば、生産者は黙って売れる、正常サイクルを生産します。

地球の将来と家庭の安全は同じことなのです。主婦が買い物をするとき、一つの目のつけどころが、地球の救済なのです。

自分を内観すれば、宇宙すべてを知る！

まとめ

大宇宙はたった一人の生命体です。

一人の生命体の中に、無数の惑星が宇宙生命体の細胞として存在しています。

その細胞の一つに地球という星があります。その地球細胞の中に人間界という細胞があります。

その人間の体の中も細胞で構成されています。

人間の体の中の臓器の役目と、地球上の各国の役目は、本来同じです。

地球も宇宙の臓器細胞の一部の役目を持って生きています。

宇宙を構成している仕組みと、人間の体内を構成している仕組みは、すべて同じに構成されているのです。

だから人間一人一人は小宇宙と称されるのです。

自分を内観すれば、どなたも神に到達する、ということは、自分の体の中は、宇宙法則そのもので構成されている、ということです。自分を知る、ということは、宇宙すべてを知ることに繋がります。全知全能です。

第2部

全部実験で確かめた

図1

特許番号3446178号より抜粋

【0121】
この実施例においては、前記の図23に示されるように、10mm程度の大きさの石が充塡されている水改質装置が使用された。

【0122】

表1

	ダイオキシン類 (pg-TEQ/g)	水銀	鉛 含有試験	砒素 (mg/kg乾燥)	カドミウム
基準値	1000	3	600	50	9
処理前	4700	3.9	150	9.5	5.1
処理後	1000	1.2	43	8.8	1.9

また、この堆積物の処理前および処理後において上記重金属の溶出試験を実施したところ、その結果は下記の表2の通りであった。

表2

	水銀	鉛 溶出試験	砒素 (mg/L)	カドミウム
基準値	0.0005	0.01	0.01	0.01
処理前	0.078	0.15	0.029	0.007
処理後	0.0005未満	0.01未満	0.005未満	0.005未満

表1におけるダイオキシン類および表2における溶出試験は「土壌の汚染に係る環境基準」によるものであり、そして重金属に関する上記の含有試験は、重金属等に係る土壌汚染調査・対策指針及び有機塩素系化合物等に係る土壌・地下水汚染調査・対策暫定指針（環境省）によるものである。

【0123】
表1に示されるように、前記堆積物中に含まれるダイオキシン類は基準値を満たすほど十分に除去されるとともに、水銀、鉛、砒素およびカドミウムという重金属の含有量も本発明によって著しく低減されることが分かる。

【0124】
また、表2に示されるように、前記堆積物中に含まれていた水銀、鉛および砒素が処理前では基準値を大幅に上回る値を示したのに対して、処理後では基準値を十分に満足させるほど著しく低下し、またカドミウムについても処理の前後で数値の減少が観察された。

図1は埼玉県川口市鳩ヶ谷の焼却所から出たダイオキシン、重金属類の処理データです。このデータは、特許第3446178号からの抜粋であって、詳しいことは特許庁に検索して、データを出して見てください。

図２　小山土壌改良

	鉛				砒素				ふっ素			
	土壌含有量基準 150mg/kg 以下		土壌溶出量基準 0.01mg/L 以下		土壌含有量基準 150mg/kg 以下		土壌溶出量基準 0.01mg/L 以下		土壌含有量基準 4000mg/kg 以下		土壌溶出量基準 0.8mg/L 以下	
処理前原土	2,090	mg/kg	0.025	mg/L	−	mg/kg	0.028	mg/L	−	mg/kg	7.1	mg/L
初回処理 2004/1/7	15	mg/kg	−	mg/L	−	mg/kg	0.005	mg/L	−	mg/kg	0.71	mg/L
消去率	99.28%		−		−		82.14%		−		90.00%	
処理一ヶ月後 2004/3/2	51	mg/kg	0.009	mg/L	−	mg/kg	0.008	mg/L	−	mg/kg	0.67	mg/L
消去率	97.56%		64.00%				71.43%		−		90.56%	
処理六カ月後 2004/8/3	15	mg/kg	−	mg/L	−	mg/kg	0.001	mg/L	−	mg/kg	0.11	mg/L
消去率	99.28%		−		−		96.43%		−		98.45%	

図２は汚染土壌の実践改善データです。汚染土壌2000リュウベ処理をしたときのデータです。

図3－1

計量番号 W-20110546

平成23年 2月 4日 発行

分析結果報告書

東京テクニカル・ラボ株式会社
本社 千葉県浦安市入船四丁目12番38-1号
計量証明事業所
東京都事業登録第576号（濃度）
第856号（音圧レベル）
第949号（振動加速度レベル）
東京都江戸川区西葛西8-20-20
TEL 03 (3688) 3284

一般財団法人
テネモス国際環境研究会殿

計量結果を下記のとおりご報告致します。

試料名 絶縁油中のPCB分析 1検体
受取日 平成23年1月12日
適用法令 －
試験分類 含有試験

計量管理者 増子勉（第5597号）
分析担当者 藤井雄造
採取担当者 受取り

No.	項目名	単位	分析結果	定量下限値	基準値	分析方法
1	トランス中の絶縁油中（処理前）	mg/kg	1.0	0.3	0.5	絶縁油中の微量PCBに関する簡易測定法マニュアル（第2版）2-5-1
			以下余白			

図3－2

計量番号 W-20111398

平成23年 2月18日 発行

分析結果報告書

東京テクニカル・ラボ株式会社
本社 千葉県浦安市入船四丁目12番38-1号
計量証明事業所
東京都事業登録第576号（濃度）
第856号（音圧レベル）
第949号（振動加速度レベル）
東京都江戸川区西葛西8-20-20
TEL 03 (3688) 3284

一般財団法人
テネモス国際環境研究会殿

計量結果を下記のとおりご報告致します。

試料名 絶縁油中のPCB分析 1検体
受取日 平成23年2月15日
適用法令 －
試験分類 含有試験

計量管理者 増子勉（第5597号）
分析担当者 藤井雄造
採取担当者 受取り

No.	項目名	単位	分析結果	定量下限値	基準値	分析方法
1	トランス油中の絶縁油（修理後）	mg/kg	0.3 未満	0.3	0.5	絶縁油中の微量PCBに関する簡易測定法マニュアル（第2版）3.2.1
			以下余白			

図3－1（上）はトランス中のPCB、処理前のデータです。図3－2（下）は処理後のデータです。1.0mg/kgから0.3mg/kgに変化しています。この測定器は0.3mg/kg以下は、測定できません。

図4

1．対象試料
　土　壌
2．試料測定日時
　2011年4月8日 23：07
3．測定方法
　γ線スペクトロメトリー
4．測定結果
　測定結果を表1に示します。

表1　放射能濃度測定結果

対象試料	核種	放射能濃度(Bq/Kg)
土　壌	I-131	17000
	Cs-134	2260
	Cs-136	159
	Cs-137	1420

注）表中の放射能濃度は、試料測定時点の値
　（検出下限値：≦10Bq/Kg）

1．対象試料及び試料採取日時
　(1) 処理前水：2011年4月28日 15：00
2．測定方法
　γ線スペクトロメトリー
3．測定結果
　測定結果を表1に示します。

表1　放射能濃度測定結果

対象試料	核種	放射能濃度(Bq/Kg)	暫定規制値(Bq/Kg)
処理前水	I-131	検出せず	300
	Cs-134	23	200
	Cs-136	検出せず	200
	Cs-137	25	200

注）表中の放射能濃度は、試料採取日時に半減期補正した値
　（検出下限値：≦10Bq/Kg）

1．対象試料及び試料採取日時
　(1) 処理後A水：2011年5月7日 15：00
　(2) 処理後B水：2011年5月9日 15：00
　(3) 土壌　　　：2011年5月9日 15：00
2．測定方法
　γ線スペクトロメトリー
3．測定結果
　測定結果を表1に示します。

表1　放射能濃度測定結果

対象試料	核種	放射能濃度(Bq/Kg)	暫定規制値(Bq/Kg)
処理前A水	I-131	検出せず	300
	Cs-134	検出せず	200
	Cs-136	検出せず	200
	Cs-137	検出せず	200
処理後B水	I-131	検出せず	300
	Cs-134	検出せず	200
	Cs-136	検出せず	200
	Cs-137	検出せず	200
土　壌	I-131	51	—
	Cs-134	86	—
	Cs-136	検出せず	—
	Cs-137	85	—

注）表中の放射能濃度は、試料採取日時に半減期補正した値（検出下限値：≦10Bq/Kg）

図4－1（上左）は福島県の放射能汚染の、処理前の汚染土壌データです。図4－2（上右）も福島県の沼の水、処理前のデータです。図4－3（下）は処理後の汚染土壌と汚染水のデータです。

図5

プール用循環式浄化システム　水質検査　数値結果
実施期間：2010年７月23日～８月５日

		装置　導入前		装置 作動開始・稼動	装置　継続稼動
		期間１（～7/22）		期間２（7/23 ～ 7/29 の週）	期間３（7/30 ～ 8/5 の週）
		採取日時：7/22（木）12:00		採取日時：7/29（木）12:00	採取日時：8/5（木）12:00
水質検査・項目	ＰＨ	7.5（7.4、7.5）		7.5（7.5、7.5）	7.5（7.4、7.5）
	結合残留塩素（mg/L）	1.4（1.3、1.4）	装置導入後	2.2（2.2、2.2）	1.8（1.8、1.8）
	過マンガン酸カリウム消費量（mg/L）	6.8（6.8、6.8）		6.7（6.7、6.6）	5.9（5.4、6.3）
	濁度	0.5未満（0.5未満、0.5未満）		0.5未満（0.5未満、0.5未満）	0.5未満（0.5未満、0.5未満）
	大腸菌	不検出		不検出	不検出
	一般細菌（CFU/mL）	26（38、13）		1（2、0）	0（0、0）

※配管設備内部やプール壁面に膜を張って付着していた塩素や油脂などが剝がれ落ちたことにより、塩素濃度が増えた。
※各数値は平均値で、右の括弧（　）の中の数値はそれぞれ（最小値、最大値）。

←オーバーフロー排水溝

図５－１（上）は某プールの細菌の減少実験のデータです。一般細菌が26から０に変化しています。オーバーフロー水槽に片手で持てる大きさの装置を入れて、約２週間機械を回したデータです。図５－２（下）はそのプールの全景です。

図６－２

３日目（撮影日時９月17日）
所見　濁りがなく、透明度が増している。

４日目（撮影日時９月18日）
所見　水に照りが出てきている。

図６－２は処理後２～３日たった写真です。透明度が増し、水に照りが出てきています。

図６－１　中川運河の水処理

１日目（撮影日時９月15日）
所見　水浄化システムを採用し、水を循環させた。水は薄い緑色に濁っている状態。処理後１時間ごろには色が消えてきた。

２日目（撮影日時９月16日）
所見　水の濁り、においがなくなっている。

図６－１は名古屋市の運河の水です。原水は濁って、くさいにおいがありましたが、一日もすると「濁り」「くさいにおい」も取れて透明な水に変化しました。

図７－１　野外音楽堂滝、せせらぎ水路水質浄化試験

滝全景
平成７年５月１日　午前11時　撮影　装置取付時
原水の透視度７㎝

滝正面
ＯＸノズル８本取付（滝上部左側）

図７－２

菌体増殖容器
ＯＸノズルにジェット水流と空気を圧送。容器内に菌体Ａ、Ｂ、充塡されている。

滝水溜り
不忍池原水をポンプ給水している。

図７－１は東京都上野の不忍池の浄化テストの、正面からの写真です。図７－２は池の浄化の写真です。バケツを利用して、バイオシステムを組んでみました。

図７－３

滝正面
平成７年５月20日　午後13時　撮影

水溜り部
水が大分清澄している。透視度14㎝

図７－３は処理後１週間の写真です。写真では確認できませんが、始めたときは、水路の底が見えませんでしたが、１週間後には底が見えるように変化しています。

図８　迎賓館池（平成８年）

図８は赤坂迎賓館の池の写真です。不忍池同様のシステムで実施してみました。始めはアオコで池の底が見えませんでしたが、処理後２〜３週間で池の底が見えるように変化し、鯉もよく確認できます。

図９－１

図９－１は埼玉県営プール水質改良浄化実験施行写真です。何千トンのプールに写真にある装置で、アオコ減少の実験を行いました。

図9－3

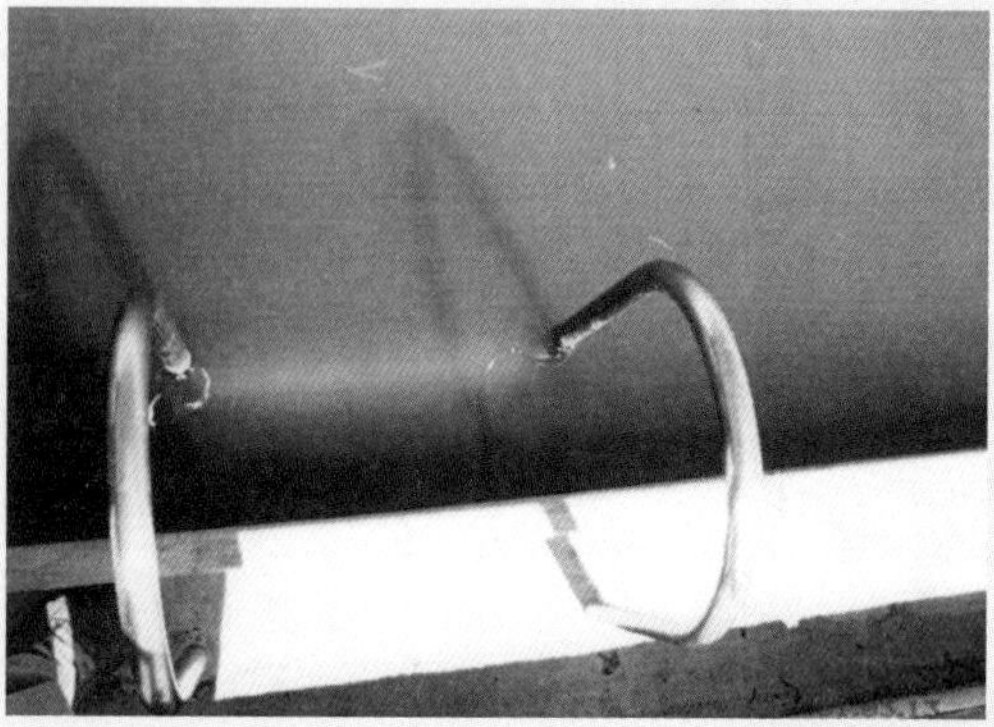

写真番号　11
撮影日時　３月13日　12時30分
透 視 度　85ミリ
水　　温　９℃
所　　見　運転開始１時間後水の照りがよくなった。改良型システム採用。

写真番号　12
撮影日時　３月13日　12時30分
透 視 度
水　　温
所　　見

図９－３はプールに装置を備え付けて、運転開始約１時間後の写真です。たった１時間でアオコに大きな変化が出ています。

図９－２

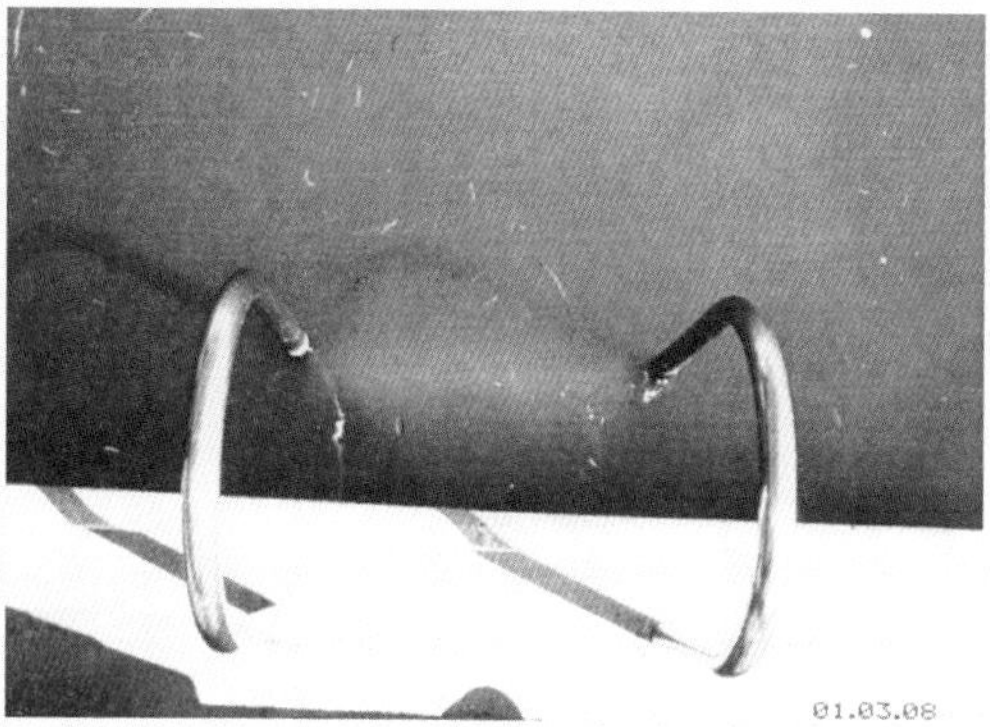

写真番号　９
撮影日時　３月８日　10時50分
透 視 度　85ミリ
水　　温　９℃
所　　見　下見、アオコの発生多い。濃い緑色。

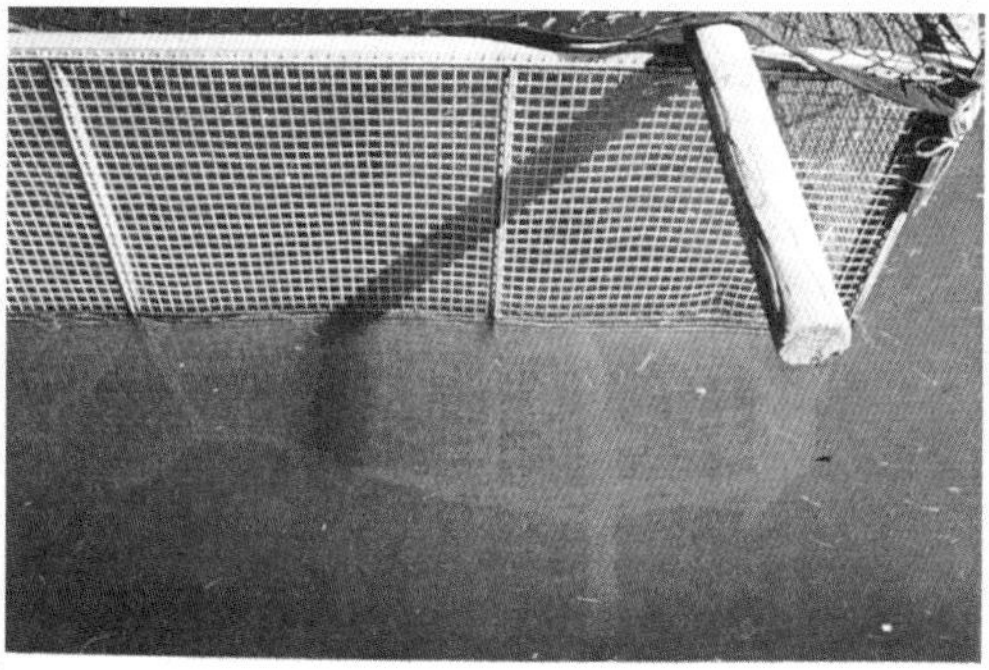

01.03.08

写真番号　10
撮影日時　３月８日　10時50分
透 視 度
水　　温
所　　見

図９－２はプールの下見のときの写真です。真っ青で階段のバーも見えません。

図9－5

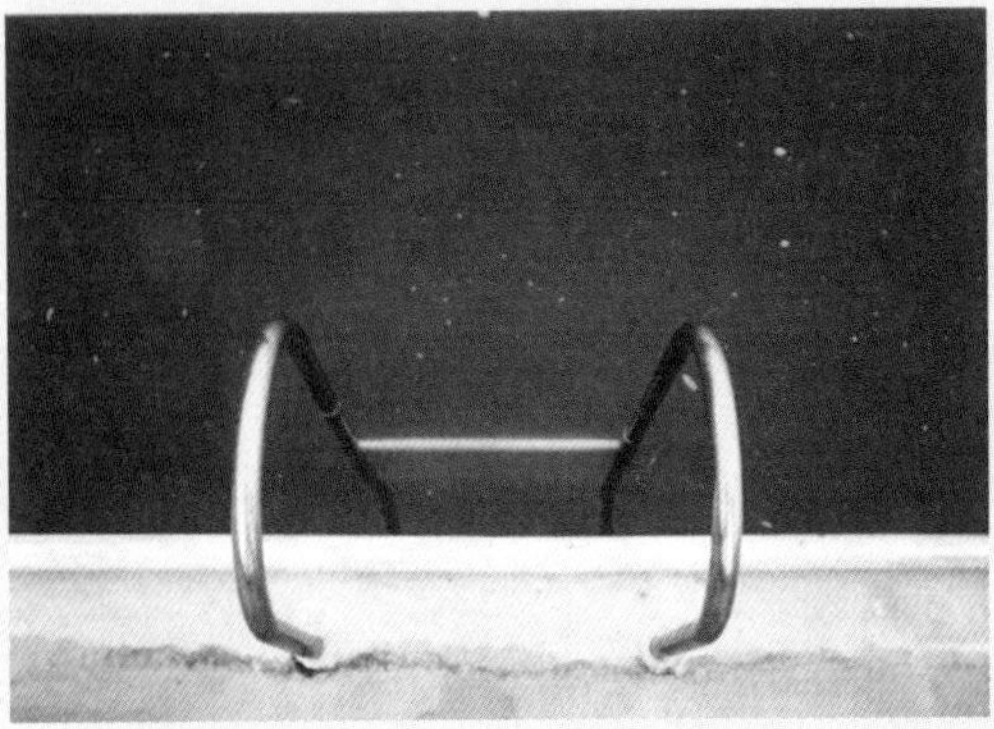

写真番号　15
撮影日時　３月17日　９時30分
透 視 度　240ミリ
水　　温　11℃
所　　見　４日経過
色の変化は濃い茶色に変わり、水の照りが非常によくなった。水がキラキラ輝いている。

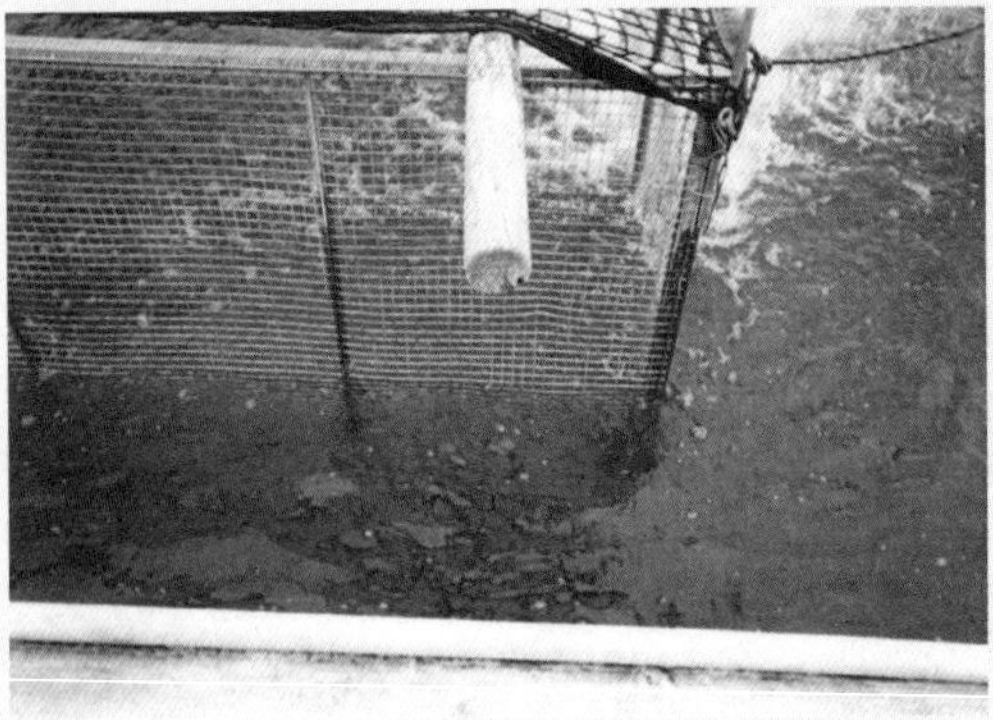

写真番号　16
撮影日時　３月17日　９時30分
透 視 度
水　　温
所　　見

図９－５は運転開始後４日経過したときの写真です。アオコはすっかり消え、透視度は３倍に変化し階段のバーもよく見えます。水に輝きが出てきました。

図９－４

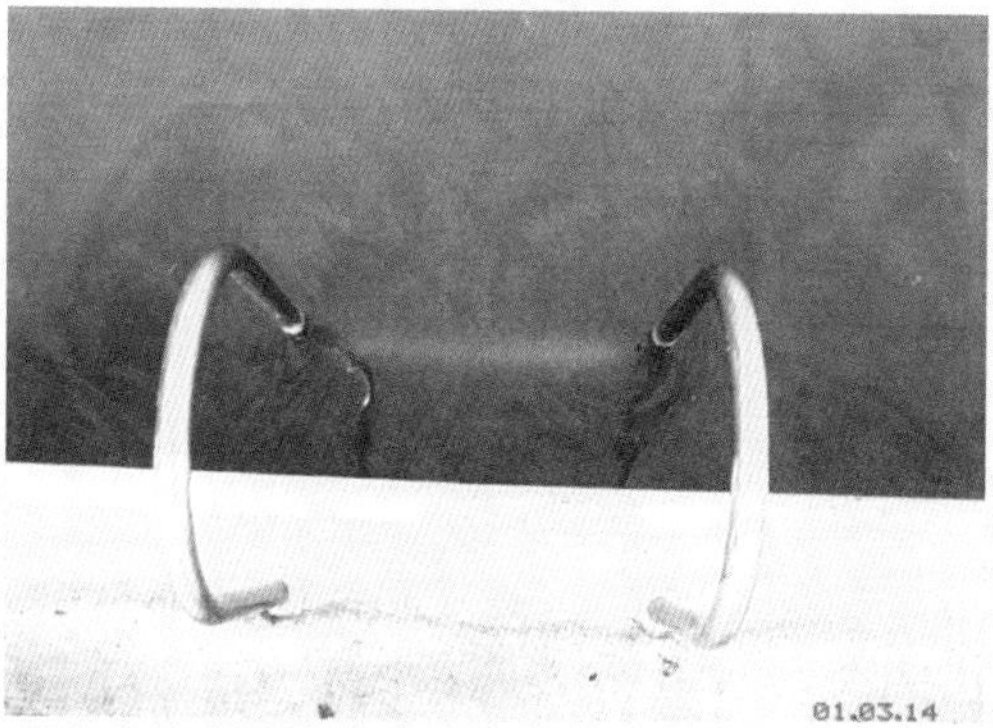

写真番号　13
撮影日時　３月14日　16時
透 視 度　120ミリ
水　　温　９℃
所　　見　１日経過、昨日のアオコ（緑色）が茶色に変色した。１日でアオコが変化したと思われる。

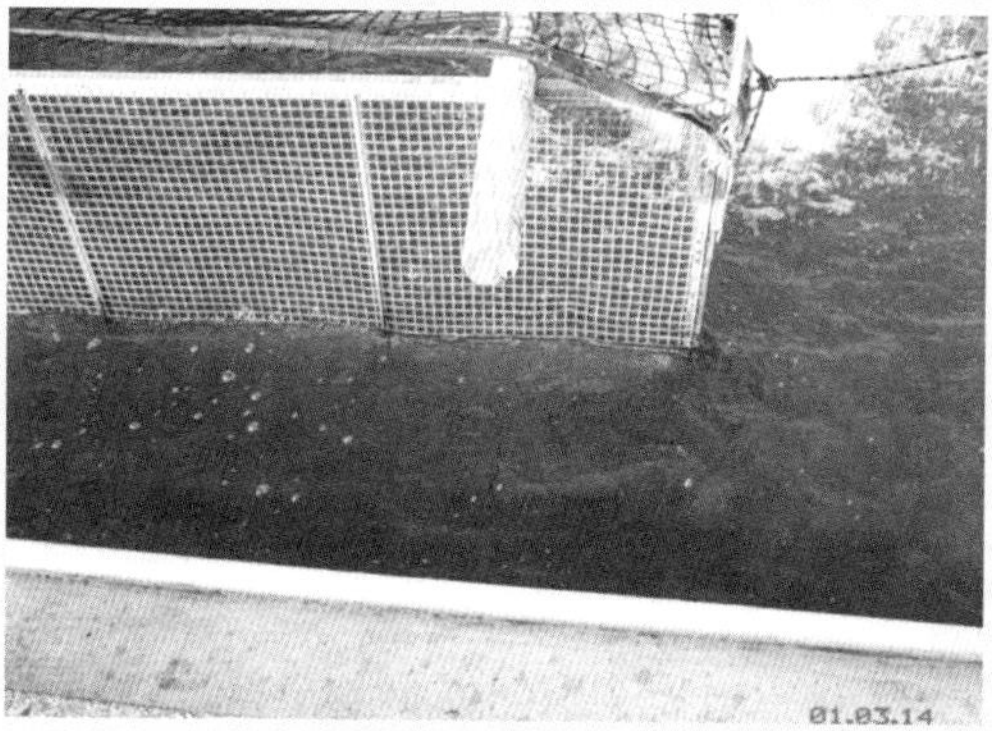

写真番号　14
撮影日時　３月14日　16時
透 視 度
水　　温
所　　見

図９－４は運転開始２日後の写真です。アオコは消え、プールの水は黒っぽく変化しています。

図10

2002/11/9

2002/11/9

2002/12/18

図10はアオコ制御実験です。日の当たる温室内でテストをしてみました。９月ですが室内は暑いです。３か月もすると、アオコは消えて金魚も元気です。

図11

図11は洗濯物を吸引力の水に一晩つけて、次の日に手で絞って干した写真です。細かい汚れも落ちて、柔軟性が出ます。

2002年６月15日

図12

図12は防虫予防の写真です。吸引力の水を葉面散布することで、病害虫削除、病害虫予防が可能です。放射線洗浄にも効果があります。

図13－2

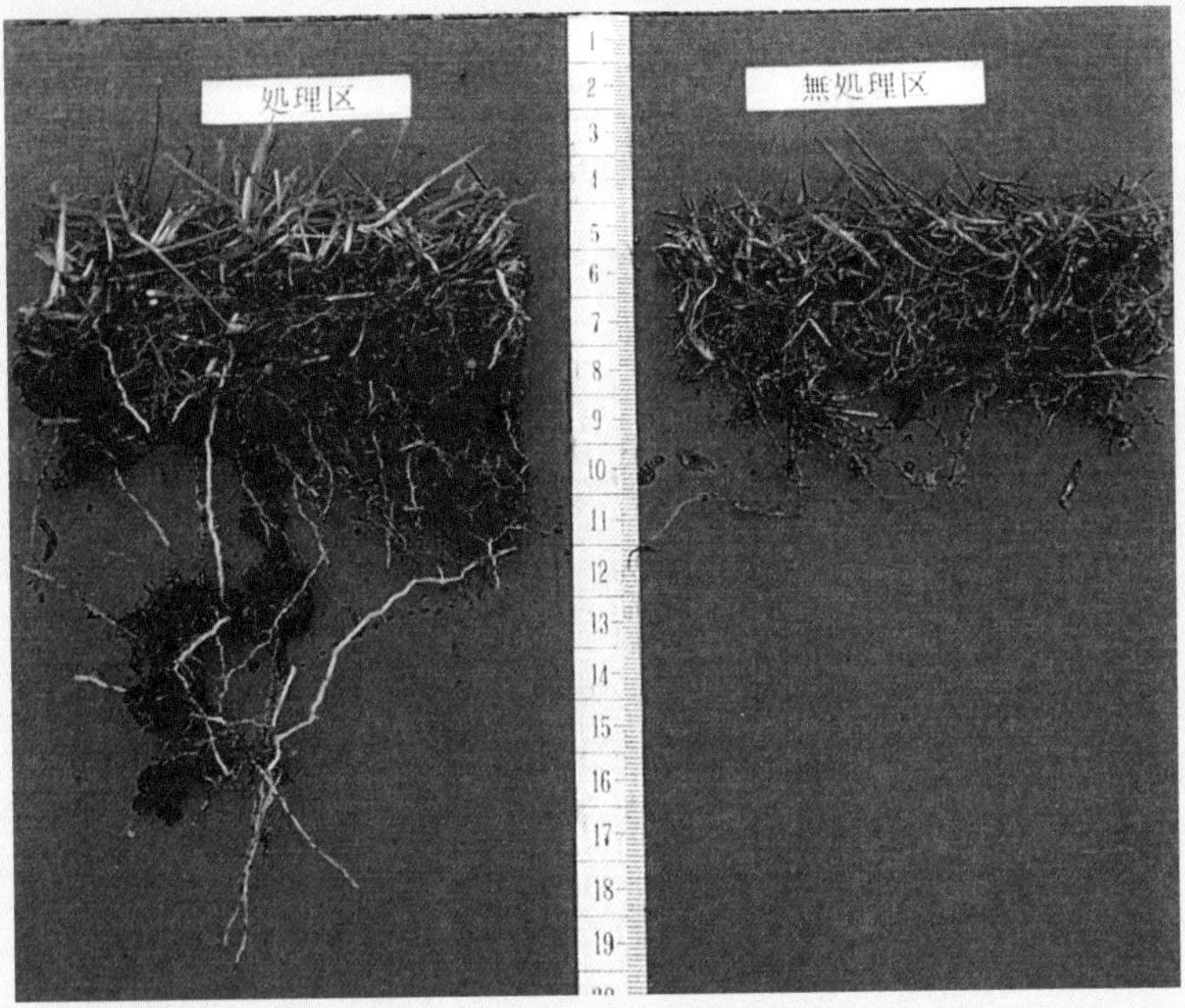

2002年５月28日

図13－２はその芝生の根の生長状態の写真です。

図13－1

2002年７月26日

図13－１は無農薬芝生管理の実験の写真です。処理区と無処理区は一目瞭然です。

図14

写真番号　1
撮影日時　平成13年6月19日
大型レストラン公衆トイレ
所　　見
処理前
糞の固まりが上部に浮いていて、非常ににおう。

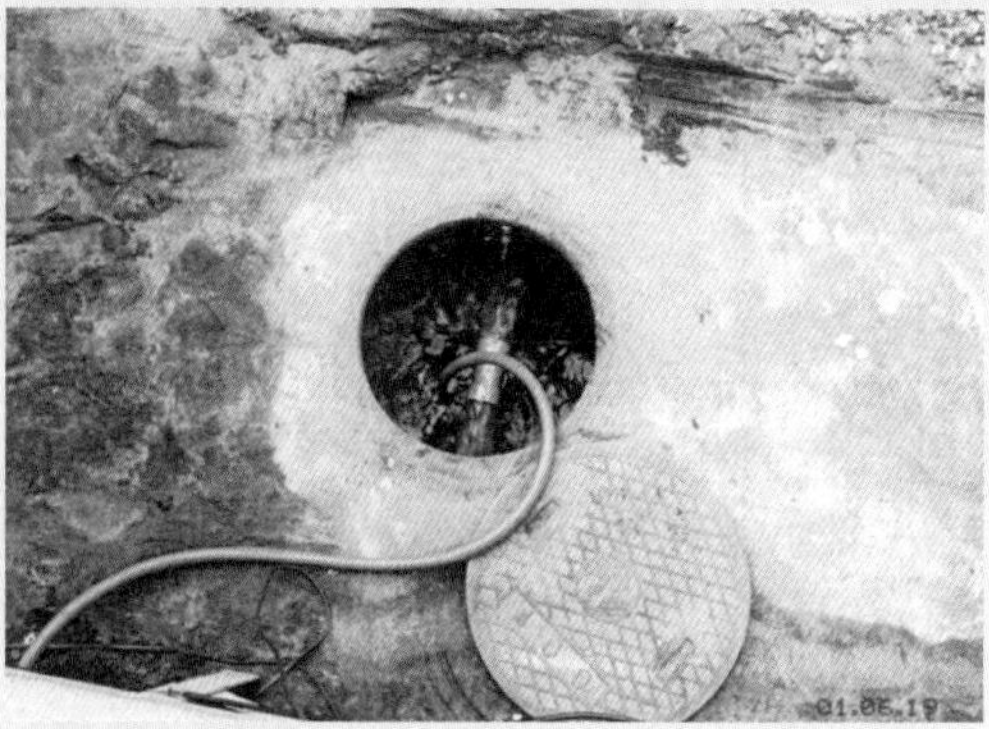

写真番号　2
撮影日時　平成13年6月19日
大型レストラン公衆トイレ
所　　見
処理3時間後
糞が大分乳化してきてにおいも少なくなってきた。

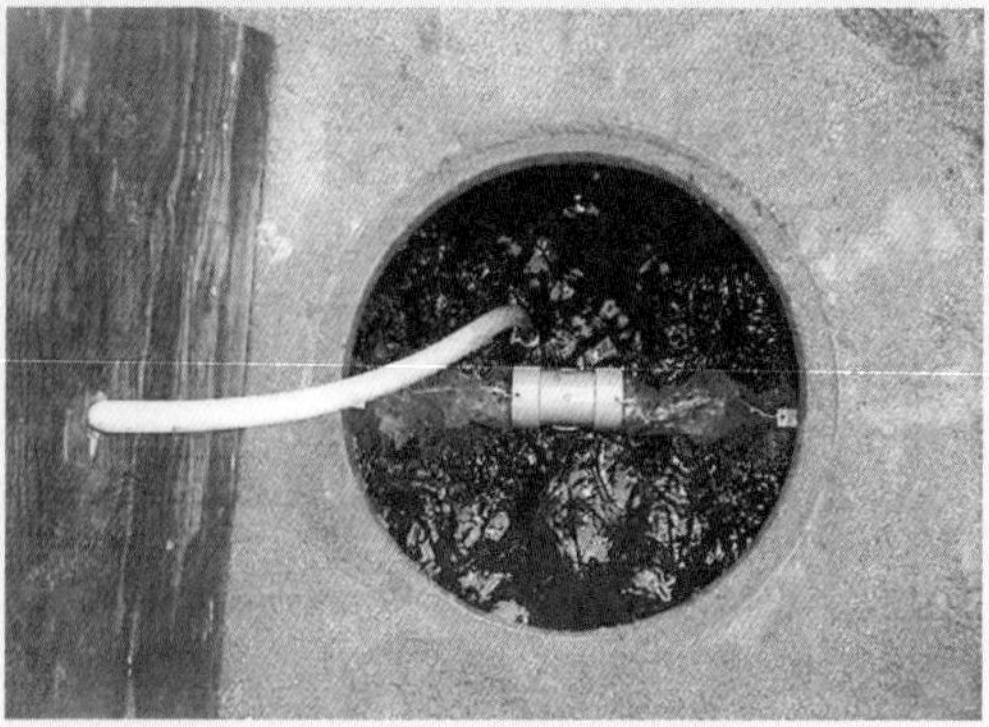

写真番号　3
撮影日時　平成13年6月23日
大型レストラン公衆トイレ
所　　見
処理5日目
糞の固形物はほとんど乳化してきれいな水に変化している。においもほとんど取れている。

図14は糞尿処理の実験例の写真です。上は浄化槽のマンホールに糞が固まった状態が確認できます。中は吸引力エアー、運転開始3時間後。糞に大きな変化が見られます。下は運転開始5日後、糞もにおいもなく、きれいな水に変化しています。

図15－1

写真番号　4
撮影日時　平成13年6月19日
グリーストラップ
所　　見
処理前　油が浮いていて、底はヘドロ化していて、においも非常にくさい。

写真番号　5
撮影日時　平成13年6月19日
グリーストラップ
所　　見
処理3時間後
油が乳化して、においがほとんど取れてきた。

図15－1はグリーストラップの実践施行写真です。吸引力システムで、短時間でにおいや油成分に大きな変化が見られます。

図15－2

写真番号　6
撮影日時　平成13年6月19日
グリーストラップ第1槽
所　　見
処理前　油及び固形物が、かごに溜まって非常ににおう。

写真番号　7
撮影日時　平成13年6月19日
グリーストラップ
所　　見
処理3時間後
かごを外して1槽にした。すぐに乳化が始まりにおいが少なくなった。

図15－2、図15－3も同じグリーストラップの処理写真ですが、図15－1とでは吸引システムが違います。しかし結果の処理能力は同じく変わらず、よい状態です。

図15－3

写真番号　8
撮影日時　平成13年６月23日
グリーストラップ
所　　見
処理５日目
乳化が進み固形物も少なくなり、においもほとんどなくなった。

図16－1

写真番号　1
撮影日時　平成13年6月1日
所　　見
初日　便槽から固まった豚糞が溢れる。
測定ガス
メチルメルカプタン
硫化水素
臭気　非常に危険なくらいにおう。

写真番号　2
撮影日時　平成13年6月2日
所　　見
2日目　エアーポンプでの上下循環で豚糞の発酵促進。
臭気　大分におわなくなった。

図16－1は豚糞処理の写真です。便槽から糞が固まって出ているのが確認できます。辺りには臭気が漂っています。吸引エアーだけで処理をしました。

図16－2

写真番号　5
撮影日時　平成13年6月6日
所　　見
6日目　ブロワーとエアーポンプによる上下循環の合体。

写真番号　6
撮影日時　平成13年6月8日
所　　見
8日目　発酵処理終了。
臭気　なし。
測定ガス
メチルメルカプタン無
硫化水素　無

図16－2では改善6日目で、吸引力が増す装置に切り替えて、8日目で終了しました。臭気も消えて糞もきれいな尿に変化しています。

図16－3

写真番号　7
撮影日時　平成13年6月10日
所　　見
10日目最終日　処理物放出。

写真番号　8
撮影日時　平成13年6月10日
所　　見
10日目最終日　処理物放出後。

図16－3は処理10日目で、尿を便槽から放出して終了の写真です。

図17－1

図17－１、17－２、17－３は南米での大豆の播種から収穫前までの写真です。完全無農薬栽培の実証写真です。

図17－2

図17－3

図18　風力発電機の研究

図18は小型風力発電機を組み合わせて、大型に改良した写真です。沖縄で耐久テストのときの写真です。

図19－2

図19－２は品評会で優勝したときに撮った写真です。５年連続チャンピオンに輝きました。餌と水は重要なサイクルです。

図19－1　コメデーロ（給餌設備）

日本の方式を取り入れたコメデーロ
給餌の省力化、個々の牛の管理を可能にしました。１舎で約200頭の牛を収容可能。
現在はまだ１舎しかありませんが、今年中にもう１舎建てる予定です。

トラクター１台で給餌をこなします。

図19－１は南米での家畜の餌の改善実証写真です。餌を発酵させ、干し草とブレンドさせて与えています。

●超スロー飛行理論は本文148ページ

ラジコン技術
Radio Control Technique
1 2004
40,000人の大観衆! 第17回RC航空ページェント
●ラジコン入門にも最適『サーマル・ソアリングの世界』
●超スロー・スピードで空を飛ぶ! 空中浮遊ラジコン機

独自の理論で“飛行速度はどこまで落とせるか!?”

空中浮遊する超スローRC機

機体名…(5号機) テネモス・サーナ　設計の狙い…低空・低速旋回時における安定した飛行性能を確保する　全長…1350mm, 全幅…1800mm, 全備重量…2370g, 主翼面積…73.8dm²

➡5号機の主翼構造は, 中央翼のリブは等間隔に入っているが, 翼端の赤い部分のリブは2枚程度しか使われていない。生地完成後, クリヤー・ドープを6:4ほどに薄めたもので2～3回下塗りし, 白絹をドープで張っている。

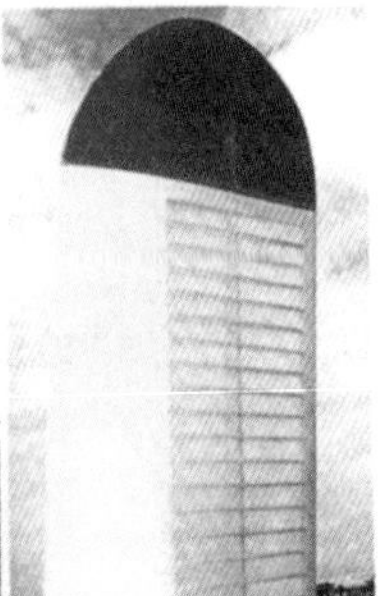

⬇翼厚は付根から翼端にかけて極端に薄くなり, 付根の半分程度になる。外翼の翼端(赤い部分)は中央翼と同じ薄い翼厚で続いている。

⬅SAITO FA-45エンジンに10×6プロペラを装備して余裕のフライトを見せる。

図20

「空中を浮遊するラジコン機」こんな形容がぴったり当てはまるＲＣ機が実際に存在する。「翼面積を大きくして軽く作れば，特別に珍しいことではない」…こんな答が返ってきそうだが，決してそうではない。

エンジンをスローにすると，大きな機体が“フワフワ”と空中を漂う。オーバー・コントロールとも思えるような舵を切り，機体の姿勢を大きく崩してみても，いっこうに失速する気配が見えない。

一転，強風中でエンコンHi，エレベーターDownを打ってみた。すると，スパン２ｍを越える機体が56クラスの４サイクル・エンジンで，風をものともせず自由自在に飛び回るのである。今までの常識を覆された瞬間であった。

次は急激なエレベーター・アップ。エンジンを吹かせば，垂直上昇に近い姿勢でも翼端失速はほとんど起こさない。実に不思議な飛行機である。地上スレスレの高度でローパスする機体は，グライダーのようにハンドキャッチさえできそうな錯覚に陥る。

大型機は広い空域が要る。これもごく常識である。ところが，飯島秀行氏（埼玉）のスロー・プレーンは，微風ならば小さな野球グラウンドが一面あれば充分に飛行可能という，驚異的な運動性能を備えているのである。

今までのラジコン機のイメージを根底から覆す空中浮遊機はなぜ誕生したのか。その裏には，飯島氏が展開する独自のスロー飛行理論がある。　(Me)

飯島式空中浮遊ラジコン機

⬆空を漂うような飛行シーン。

⬆機体名…（１号機）テネモス・フグ　設計の狙い…小さなエンジンで大きな抵抗の機体が飛ぶか？　全長…1480㎜，全幅…1800㎜，全備重量…1580ｇ，主翼面積…61.2㎠

エンジン………ＯＳ ＦＳ-26
プロペラ……………９×６
ＲＣ装置 ……………３ ch

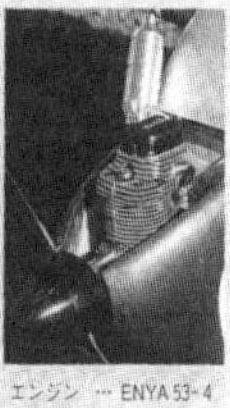

⬆機体名…（２号機）テネモス・アララ　設計の狙い…主翼の付根から翼端までの振動数変化による飛行の違い　全長…1500㎜，全幅…1840㎜，全備重量…2450ｇ，主翼面積…77.2d㎡

エンジン …ENYA 53-4
プロペラ………11×５
ＲＣ装置 ………３ ch

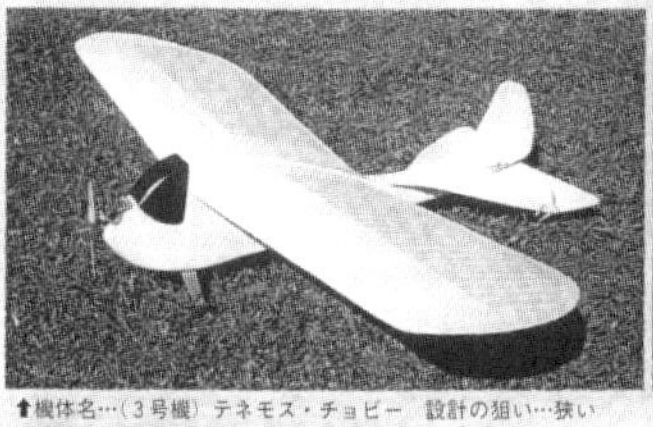

⬆機体名…（３号機）テネモス・チョビー　設計の狙い…狭い場所でも飛ばせる小さな旋回半径をテスト　全長…1070㎜，全幅…1660㎜，全備重量…1100ｇ，主翼面積…71.3d㎡

エンジン…ENYA11ＣＸ
プロペラ………８×５
ＲＣ装置 ………３ ch

⬆機体名…（４号機）オエステ　設計の狙い…強風および微風のいずれでも優れた飛行安定を実現させる　全長…1530㎜，全幅…2060㎜，全備重量…3200ｇ，主翼面積…94.7d㎡

エンジン…SAITO ＦA56
プロペラ………11×６
ＲＣ装置 ………３ ch

41

図20は専門誌に掲載された写真です。これらは実践してきた一部ですが、どれもが常識を書き換える実証例です。科学とは、常識に捉われない心で取り組むことです。

飯島秀行　いいじま ひでゆき

一般財団法人テネモス国際環境研究会設立者。大学（経済学部）卒業後、1年間、園芸の研修を受け、実家の家業（園芸農業）を継ぐ。1993年に、真理伝達者に出会ったことがきっかけとなり、ボリビアでの農業プロジェクトに参加。実践体験により自然法則を体得。フリーエネルギー研究家。あたりまえの世界の実現、教科書の書き換えという目的を持っている。2016年3月1日永眠。

一般財団法人テネモス国際環境研究会

http://www.tenemos-ier.org/

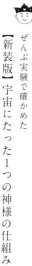

ぜんぶ実験で確かめた
【新装版】宇宙にたった1つの神様の仕組み

第一刷 2020年8月31日
第二刷 2023年4月4日

著者 飯島秀行

発行人 石井健資
発行所 株式会社ヒカルランド
〒162-0821 東京都新宿区津久戸町3-11 TH1ビル6F
電話 03-6265-0852 ファックス 03-6265-0853
http://www.hikaruland.co.jp info@hikaruland.co.jp
振替 00180-8-496587

本文・カバー・製本 中央精版印刷株式会社
DTP 株式会社キャップス
編集担当 TakeCO

ISBN978-4-86471-914-8

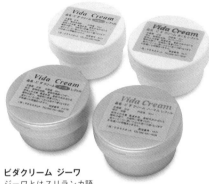

＊ご案内の価格、その他情報は発行日時点のものとなります。

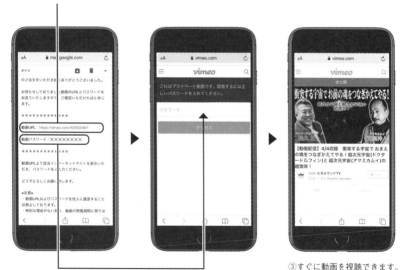

自然の中にいるような心地よさと開放感が
あなたにキセキを起こします

神楽坂ヒカルランドみらくるの1階は、自然の生命活性エネルギーと肉体との交流を目的に創られた、奇跡の杉の空間です。私たちの生活の周りには多くの木材が使われていますが、そのどれもが高温乾燥・薬剤塗布により微生物がいなくなった、本来もっているはずの薬効を封じられているものばかりです。神楽坂ヒカルランドみらくるの床、壁などの内装に使用しているのは、すべて45℃のほどよい環境でやさしくじっくり乾燥させた日本の杉材。しかもこの乾燥室さえも木材で作られた特別なものです。水分だけがなくなった杉材の中では、微生物や酵素が生きています。さらに、室内の冷暖房には従来のエアコンとはまったく異なるコンセプトで作られた特製の光冷暖房機を採用しています。この光冷暖は部屋全体に施された漆喰との共鳴反応によって、自然そのもののような心地よさを再現。森林浴をしているような開放感に包まれます。

みらくるな変化を起こす施術やイベントが
自由なあなたへと解放します

ヒカルランドで出版された著者の先生方やご縁のあった先生方のセッションが受けられる、お話が聞けるイベントを不定期開催しています。カラダとココロ、そして魂と向き合い、解放される、かけがえのない時間です。詳細はホームページ、またはメールマガジン、SNSなどでお知らせします。

神楽坂ヒカルランド みらくる Shopping & Healing
〒162-0805 東京都新宿区矢来町111番地
地下鉄東西線神楽坂駅2番出口より徒歩2分
TEL：03-5579-8948 メール：info@hikarulandmarket.com
不定休（営業日はホームページをご確認ください）
営業時間11：00〜18：00（イベント開催時など、営業時間が変更になる場合があります。）
※ Healing メニューは予約制。事前のお申込みが必要となります。
ホームページ：https://kagurazakamiracle.com/

★音響チェア《羊水の響き》

脊髄に羊水の音を響かせて、アンチエイジング！
基礎体温1℃アップで体調不良を吹き飛ばす！
細胞を活性化し、血管の若返りをはかりましょう！

特許1000以上、天才・西堀貞夫氏がその発明人生の中で最も心血を注ぎ込んでいるのがこの音響チェア。その夢は世界中のシアターにこの椅子を設置して、エンターテインメントの中であらゆる病い／不調を一掃すること。椅子に内蔵されたストロー状のファイバーが、羊水の中で胎児が音を聞くのと同じ状態をつくりだすのです！　西堀貞夫氏の特製CDによる羊水体験をどうぞお楽しみください。

A．自然音Aコース　60分／10,000円
B．自然音Bコース　60分／10,000円
C．自然音A＋自然音B　120分／20,000円

★ソマチッド《見てみたい》コース

あなたの中で天の川のごとく光り輝く「ソマチッド」を暗視野顕微鏡を使って最高クオリティの画像で見ることができます。自分という生命体の神秘をぜひ一度見てみましょう！

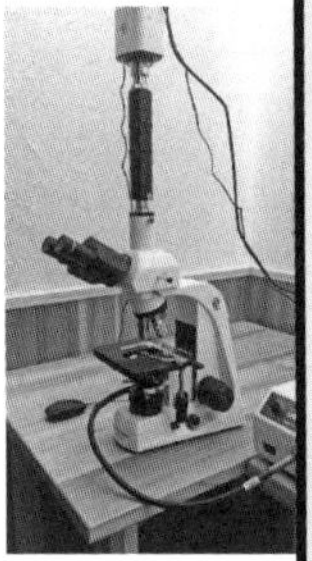

A．ワンみらくる　1回／1,500円（5,000円以上の波動機器セラピーをご利用の方のみ）
B．ツーみらくる（ソマチッドの様子を、施術前後で比較できます）2回／3,000円（5,000円以上の波動機器セラピーをご利用の方のみ）
C．とにかくソマチッド　1回／3,000円（ソマチッド観察のみ、波動機器セラピーなし）